やさしく知りたい先端科学シリーズ6

はじめてのAI

土屋誠司 著

創元社

はじめに

近年、メディアの中で『人工知能』や『AI』という言葉を聞かない日がないぐらいの状況が続いています。これだけ何度も何度も『人工知能』という言葉を聞いていると、人工知能のことをなんとなく分かったような気になってきますが、いざ「人工知能とはいったい何なのか？」「何のことを人工知能と呼ぶのか？」「人工知能のことを説明してください」と問われると、皆さんは自信を持って答えられるでしょうか？

今回のようなブームは、実は過去にも何回も起こっています。現在は３回目の人工知能ブームの最中と言われています。ある技術や機能は、広く普及し、人々に認知されることで、やがて当たり前のものになります。そうなるとインパクトがなくなり、企業もその技術や機能を前面に押し出して宣伝することはなくなります。人工知能も同じで、わざわざ『人工知能搭載！』と表現しなくなりますので、そのうち忘れ去られていき、ブームは去ります。

ここでポイントとなるのが、その過程で『当たり前のなくてはならい技術』になっているということです。今回の第３次人工知能ブームもやがては消え去っていくはずです。しかし、それで『人工知能』が完全になくなってしまったのではなく、見えないところで脈々と受け継がれ、進化し続け、また次のブームに繋がっているのです。

大切なことはブームが起こっているうちに、意識して人工知能について知ろうとしなければ、それはどんどん進化していき、もっともっと分からない、理解しにくいものになっていくということです。そう考えると、今というときは、人工知能のことを知る絶好のタイミングなのだと思います。

そこで本書では、今や『教養』として知っておきたい人工知能のことを分かりやすい事例や想像しやすいイメージを示しながら網羅的に解説する入門書として、気軽に読んでもらえるような構成を目指しました。素朴な疑問や不安に答えられるよう、過去から現在、未来へと話を展開していきます。ひとまず、ざーっと読んでいただくだけで、『人工知能』についてのイメージができるようになると思います。さらに、そのイメージや知識をもとに、未来の新しい人工知能のことも想像できるようになっていただけたら著者として望外の喜びです。

「人工知能に人間が支配される時代が来る」といった怖い話を聞くこともありますが、案外、古くから身近にあるもの、それが人工知能だったりします。相手を理解すれば、怖がる必要はなくなります。知らないから不安になるのです。ぜひ本書で人工知能を知り、不安を払拭しましょう！

2020年7月

同志社大学理工学部インテリジェント情報工学科教授／
同志社大学人工知能工学研究センター長
土屋誠司

Contents

Chapter

2

AIのいま

Chapter

3

AIのこれから

Chapter 1

AIのこれまで

人工知能のそもそもの定義から幾度かのブームを経て人々のあいだに普及していくまでを追います。何度も復活しながら発展していく姿には「人類の夢」が詰まっています。

Chapter 1

01 人工知能とは何か

AIという言葉を聞かない日はない

最近、『人工知能』や『AI（Artificial Intelligence）』という言葉を聞かない日がないぐらいのブームになっていますが、皆さんはどのように感じているでしょうか？

例えば、周囲の環境を認識してハンドルやブレーキを自動で操作する自動車が日本にも導入されました。一番乗りはドイツのBMWでしたが、その後すぐに、日本の日産自動車からも同じような機能を備えたものが発売されています。また、人の代わりに働くロボットも開発が進み、実際、旅行会社のHISが展開している「変なホ

「変なホテル 舞浜東京ベイ」では恐竜型のロボットが出迎えてくれる（H.I.S. ホテルホールディングス株式会社提供）

テル」では、ロボットがホテルのフロントの受付業務を担当するということで大きな話題になりました。こうした例は、いかにも『人工知能』っぽいですが、現在ではそれだけに留まっていません。

新商品に関するニュースでは、すでにお馴染みとなったロボット掃除機をはじめ、普通の掃除機やエアコン、冷蔵庫といったありとあらゆるものに人工知能が搭載されたと言われています。ついには、わざわざ**スマートスピーカー**（→ P.058）や専用の機器を使わなくても、声で直接操作ができる照明器具が手の届きやすい価格で販売されるまでに至っています。

今後も、どんどん人工知能を搭載した新たな商品が出てくると思うと、楽しみでワクワクしますよね。

進化を続ける掃除ロボットの代表格「ルンバ」。部屋の間取りを学習・記憶し、効率的に掃除をしてくれる。スマートフォンを使って外出先から操作できるほか、スマートスピーカーを通した音声指示にも対応（アイロボット提供）

実は昔からあった人工知能

現在起こっているような人工知能のブームは、過去にも何回も起こっています。ちなみに現在は3回目の人工知能ブームの真っ最中と言われています。

例えば、1980年代後半から1990年代前半にも第二次人工知能ブームがありました。自動運転機能が搭載された自動車や人と会話ができるロボットはまだありませんでしたが、掃除機やエアコン、冷蔵庫といういわゆる白物家電のありとあらゆるものに人工知能の一種である『ファジィ』という機能が搭載された時代があります。今ではめっきり聞かなくなりましたが、当時の記憶のある方にはとても懐かしく感じるのではないでしょうか？

我が家にもファジィ搭載エアコンがありました。そのエアコンには、室温を測定するセンサーがリモコン部分にあり、自分がいる場所の近くの温度を正確に測ることができました。そして、リモコンの「暑い」「寒い」というボタンを押すことで、現在の温度に対してユーザがどう感じているのかをエアコンに伝える機能がありました。エアコンは、ユーザから「暑い」「寒い」といわれることで、1度刻みの制御ではなく、そのユーザの好みの温度に微調整することができました。

非常に賢く、便利で、幼い私は大きな衝撃を受けました。そんなこともあり、今では大学教員をしていますが、最初の就職先としていわゆる家電メーカーを選択し、しかも家にあったファジィ搭載エアコンを発売していた企業に就職をしました。もし人工知能ブームがなければ、私の人生も変わっていたかもしれません。

人工知能の定義はできない

ここで疑問が沸いてきます。「人工知能とはいったい何なのか？」「何のことを人工知能と呼ぶのか？」という疑問です。皆さんは、この質問に対してどのように答えるでしょうか？「人工知能のことを教えてください」と言われてうまく説明できるでしょうか？

私は学生や講演会の参加者などからよくこのような質問を受けることがあります。実は、『人工知能には定義はない』『これが人工知能ですという説明はできない』というのがその答えになります。なんだか肩透かしを食らったようですが、それが真実なのです。人工知能を扱っている研究者や専門家は非常に多く、分野も細分化され多岐に渡っています。そのため、それぞれの方々がそれぞれ違った認識をされているというのが現実だと思います。

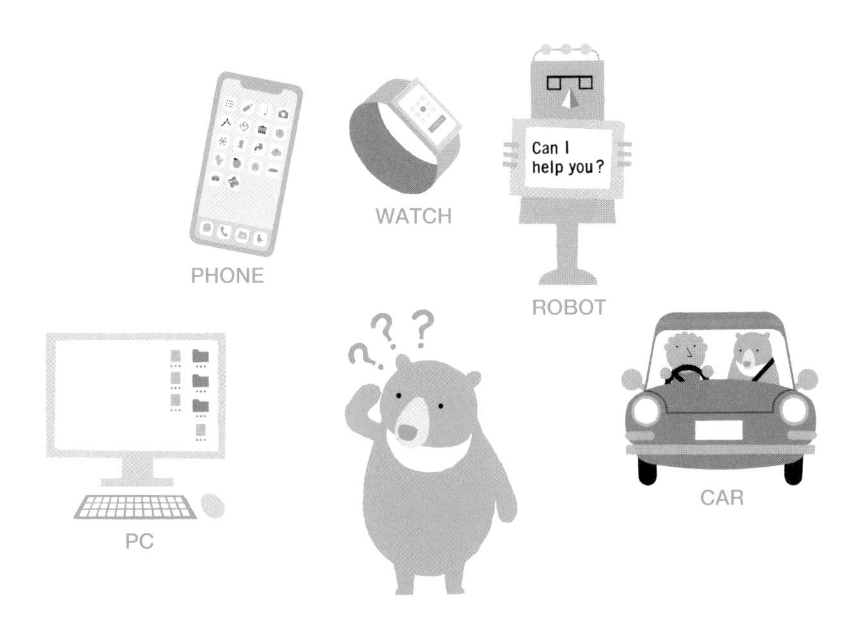

ちなみに、人工知能を無理やり定義しようとすると、『知的な処理をコンピュータで実現するもの』となるでしょうか。あれ？　そう考えると、私たちの身の回りにあるものの多くはコンピュータで制御されています。パソコンやスマートフォンなどはいかにも『コンピュータ』という感じがしますが、今では車や家電にもコンピュータが搭載されていて、コンピュータがなくては成立しなくなっています。実際、車にはなんと100個以上のコンピュータが搭載されています。

あれもこれも人工知能…。そうです！　人工知能は実はそんなに特別なものではないのです。私はそう思っています。「人工知能に人間が支配される時代が来る」といった怖い話を聞くことがありますが、案外、ずっと前から私たちの身近にあるもの、それが人工知能だったりするのです。怖がる必要はない気がします。

自動車向けソフトウェア開発ソリューション

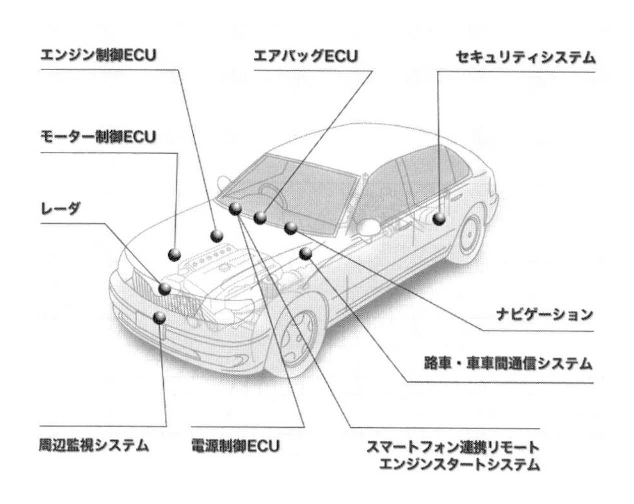

自動車には安全制御やセキュリティ、環境対応や快適な車内を実現するための制御を目的に、さまざまな種類の高度なソフトウェアが数多く搭載されている（東海ソフト株式会社提供）

いずれ人工知能と呼ぶ必要がなくなる

人工知能の定義は、専門分野によって異なるだけではなく、先ほどの例のように、時代によっても異なってきます。1990年代ぐらいにいわゆる『人工知能』と呼ばれていたものは、広く普及し認知されることで当たり前の機能になります。そうするとインパクトがなくなり、企業もその機能を前面に出して宣伝することはなくなります。わざわざ『人工知能』と表現しなくなって、そのうち忘れ去られていき、ブームは去ります。

自動ドアは現代の我々には当たり前で、なくてはならないものですが、江戸時代の人が見たら、それはもう立派な「人工知能搭載扉」でしょう。このように、人工知能とは何のことを指すのかということは時代によっても異なってきます。

ここでポイントとなるのが、ブームが生まれ、ブームに踊り、ブームが去るという過程の中で『当たり前のなくてはならない技術』になっているということです。今回の第三次人工知能ブームももうすぐ去ります。しかし、『人工知能』がそれでなくなってしまうのではなく、技術は脈々と受け継がれ、進化し続け、また次のブームに繋がります。

ブームが起こっているうちに、人工知能について知り、考えなければ、私たちが知らない間にそれはどんどん進化していき、もっともっと分からない、理解しにくいものになってしまいます。そう考えると、今は、人工知能のことを知る絶好のタイミングなのではないでしょうか。すでに現代人にとって欠かせない“教養”としての地位を獲得しようとしている『人工知能』について、本書を通して基本的なところを知り、考え、扱えるようになりましょう。

column

人工知能と芸術や芸能

人工知能は我々の生活を便利にしてくれるだけではなく、芸術や芸能という心豊かな生活に必要な分野にまで活躍の場を広げています。

芸術の分野では、人工知能が描いた肖像画がニューヨークのオークションで約4,900万円もの高値で落札されています。また日本では、手塚治虫氏の作品を学習した人工知能が『ぱいどん』という新作漫画を作成し、週刊誌に掲載されました。さらには、人工知能が執筆した短編小説が第3回日経「星新一賞」の一次選考を通過しました。

芸能の分野では、人工知能による画像生成や音声合成の技術により、実在しない完全にオリジナルの人間のアイドルをコンピュータ上に作り出すことができるようになっています。ユーザは自分好みのアイドルを自分で作り、芸能界デビューさせることができるのです。

ここまで来ると、「人間とは何なのか？」「人間と人工知能との違いは何なのか？」という話になってきます。このあたりの話は、本書を最後まで読んでいただき、ぜひご自身でも考えていただきたいと思いますが、実際にさまざまな問題提起がされています。

例えば、2019年の紅白歌合戦では、美空ひばりさんの声を音声合成で再現し、歌わせるという演出がありました。本人の気持ちとは無関係に疑似的に蘇生されたという印象から「冒涜」と受け取られたりしました。また、1995年に公開された「バットマン フォーエヴァー」では、高層ビルから飛び降りたバットマンがふわりと着地し、そのまま何事もなく歩き出すシーンがCGにより作られました。しかし、俳優からのクレームを考え、歩き出すシーンをカットされたと言われています。

人工知能の発展はとどまるところをしりません。そのすごさに驚愕するだけでなく、倫理的な問題や人間の存在意義などを真剣に考えなければならない時代がすでに来ているのだと思います。

Chapter 1

02 そもそも知能とは何か

辞書的な定義

知的な処理をコンピュータで実現できるように、人工的に人間の知能を再現しようとしている人工知能ですが、そもそも「知能」とは何でしょうか？

辞書的に定義すると、「物事を理解したり判断したりできる能力」、または「環境に適応し、思考を行うなどの知的な能力」とすることができるかと思います。「この動物は知能が高い」とか「この人は知的だ」などと言って使うことがありますね。でも、言葉で表現するのは比較的簡単ですが、それを実際のモノにしようとすると一苦労だったりします。

コンピュータはとても不器用

「知能（知的）」というのもそうですが、「理解する」とはどういうことか？「思考する」とはどうすることか？　何がどうできればそう言えるのか？　普段よく使う表現・概念ではありますが、いざ説明しようとしたり、手順などを明確にしようとすると、案外難しく、もしかすると、正確には書き表すことができないのではないかと心配になります。はたしてこうしたことをプログラムすることなんてできるのでしょうか？

結論としては、明確に表現することができない物事に関しては、単純にプログラムを作り、コンピュータで実現することはできないということになります。人間だと当たり前のこと、曖昧に扱うべきものをコンピュータで扱おうとすると、すべての手順とそのやり方をあらかじめ厳密に、厳格に決めておく必要があります。そのため、明確に表現できないものは、単純にはプログラムすることはできないのです。

そこで、研究者やプログラマーは、あの手この手を使って曖昧な物事を再現できるようなやり方を編み出すことになります。それが「アルゴリズム」です。物事を解決するためには、さまざまな方法が考えられます。例えば、食事をすることを考えると、お箸を使って挟んだり、刺したりして食べることもできますし、スプーンですくったり、ナイフで切って、フォークで刺して食べることもできます。もちろん素手でちぎって食べることもできます。アルゴリズムとはこれらの方法のことを指します。そして、どの方法を使うのかを選択し、「いただきます」から「ごちそうさま」までの一連の作業を捉えたものがプログラムです。これらのことが、動く前にあらかじめ決められていなければ、コンピュータは動くことができません。コンピュータって本当に不器用なものなのです。

知能を構成する4要素

工学の分野では、何をもって「知的」と呼ぶのかという「知的の基本要素」というものが定義されています。古くは「認識」「判断」、そして「行動」ができるものを知的なものとして扱い、これらの要素は「知能の３要素」と言われていました。

近年になって、この３要素に「学習」という機能が加わり、現代ではこれらの４要素を備え持ったものを知的なものとして取り扱っています。今起こっている第三次人工知能ブームでは、まさにこの「学習」に注目が集まっています。

変わっていく知能の定義

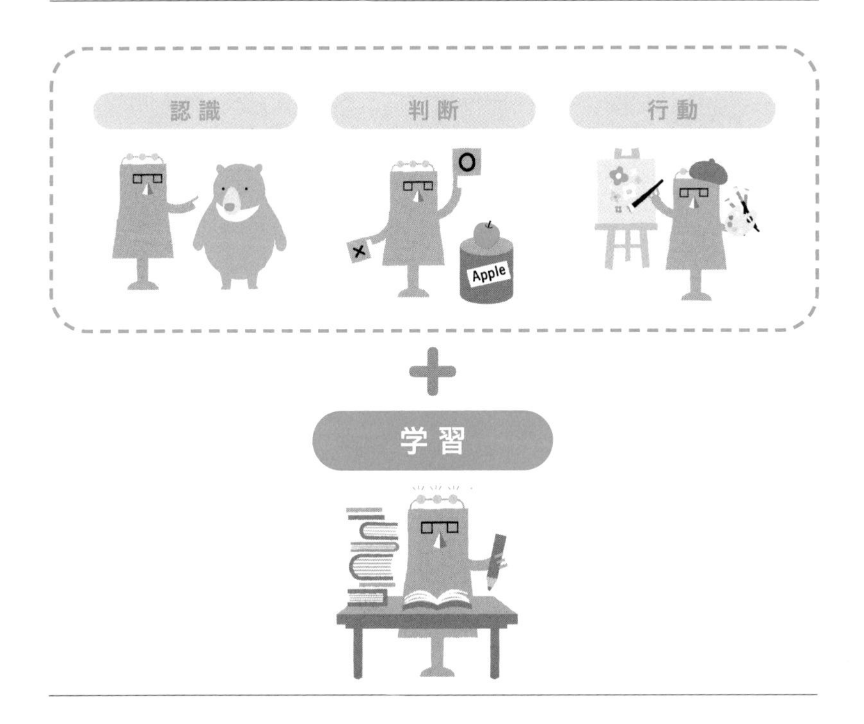

「センサー」「プロセッサ」「アクチュエータ」

「認識」するためには「センサー」が必要になります。例えば、音をとらえるマイク、距離を測るためのレーザーなどがそれにあたります。

センサーで認識できると、今度はそれを処理する必要があります。いわゆる「判断」をすることになります。これには「プロセッサ」が必要です。コンピュータではCPUと言われる人間における脳にあたるものがその役割を担います。

そして最後に「行動」です。センサーによって認識された情報に基づき、そしてプロセッサによって判断された結果を受けて、実際に動く部分が必要です。人間には体がありますが、それを工学ではちょっと難しい言葉ですが「アクチュエータ」と呼びます。

認識して判断し、行動することができればなんだか知的に感じますよね。先ほどは自動ドアを例にしましたが、自動ドアも、人が近くに来たことを「認識」し、開けるべきか否かを「判断」し、開ける必要があると判断すると実際にドアを開けるという「行動」をとります。ほら！ これで自動ドアも「知能の3要素」を備えた立派な知的な処理をする人工知能とすることができますよね。

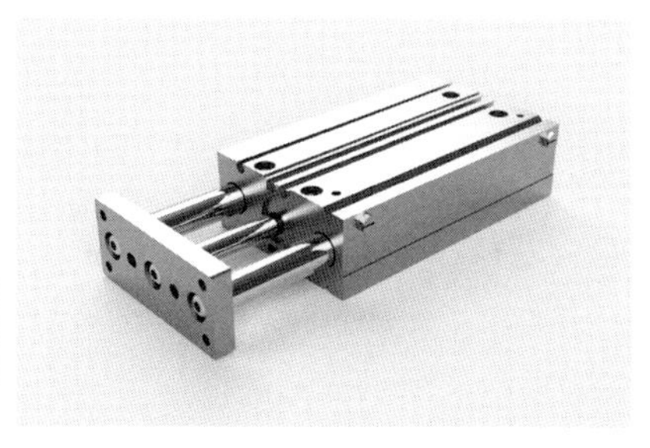

アクチュエータとはエネルギーを物理的な動きに変換するもので、駆動部分やそれらを含む機構全体を指す。電気エネルギーを回転運動に変えるモーターやシリンダーなども含まれる

自ら学習する

最近の第三次人工知能ブームでは、そこに「学習」する機能が加わります。例えば、自動ドアを例に続けると、顔や持ち物などを認識して、ある人だったらもっと早くドアを開けるとか、杖を突いて歩いている人だったら長く開けるなどといったことができるようになります。個人に合わせたり、環境に合わせたり、時と場合によって動きを変えたり、臨機応変に対応させることができるようになります。

しかも、そのような機能を実現するために、わざわざ人間が考えて、一からすべてをプログラムしなくてもよいのです。コンピュータが勝手に学習して、適応してくれるようになれば、まさに我々が求めている人工知能に近づくことになるはずです。

知的さを感じるのは人

ここでちょっと気づくことがあります。それは、先に例として挙げた「この動物は知能が高い」とか「この人は知的だ」ということは、その動物や人、またはモノに、実際に知能があるのかどうかが問題ではなく、あくまでそれに関わっている人がどう感じるのか、知的さをそのモノから感じるのか、そのモノに知能があると思えるのかがすべてであるということです。結局は、「人がどう思うのか」「人がどう感じるのか」ということが最も大事なのです。

1960年代にかけて起こった第一次人工知能ブームでは「探索」と「推論」という2つの技術が注目されました。簡単に言うと、「探索」は問題を解くこと、「推論」は知っている知識から新しい知識を連想することです。これはいわゆる我々人間が「考える」「思考する」という行為に近いものがあります。

そのため、このまま技術開発をして進化を続ければ、我々人間と同じように「知能」のあるコンピュータを作れるのではないか、つまり、人工知能を開発できるのではという考えに繋がりました。

しかし、実際はと言えば、現在、第三次人工知能ブームが起こっていることからもわかるように、真の意味での「知能のあるコンピュータ」は、まだ実現していません。人がホンモノの知能を感じることができるコンピュータはまだないというのが現状です。ただ、ちょっと意地悪に考えると、人が人間の権威や優位性を保つために、人間以外のモノに「知能を感じようとしていないのではないか」という考えは否定できない気もします。

人工知能ブームの歴史

総務省「ICTの進化が雇用と働き方に及ぼす影響に関する調査研究」（平成28年）をもとに作成

人と会話ができる人工知能

実際、第一次人工知能ブームのときには、人と会話のできる「ELIZA（イライザ）」と言われるシステムが開発されました。これは、精神分析医のインタビュー代行システムとして開発されたコンピュータプログラムです。

今のように、人の声を認識して、自動的に正しくテキストに書き起こすような仕組みはありませんでしたが、患者さんがキーボードで入力した言葉をコンピュータが解析し、ディスプレイに返事を表示することで会話を繰り広げることができました。今で言うと、チャットやLINEのようなイメージです。

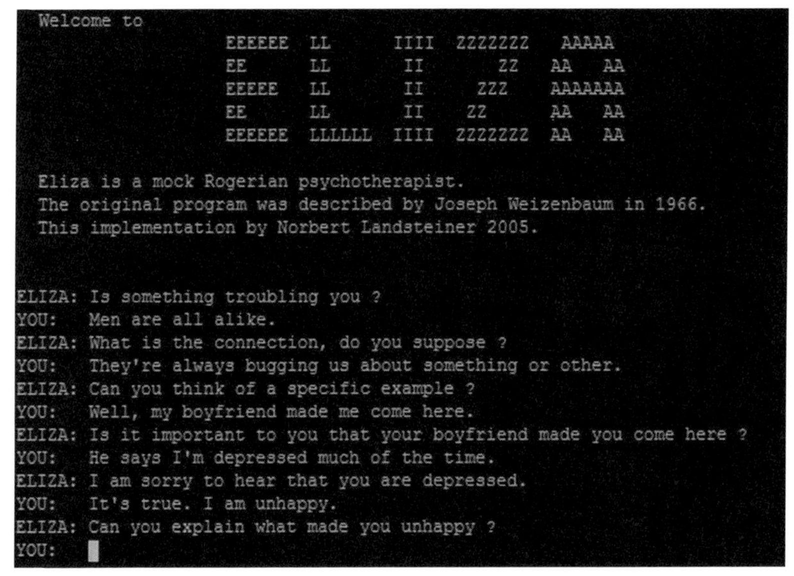

ELIZAでのやりとりの例。単純なパターン返答が、逆に人間らしさを感じさせた

患者さんの中には「本物の人間の先生よりも親身に話を聞いてくれて頼りになる」と回答した方もいたとか。まさに人とコンピュータとの間に信頼関係が形成され、人がコンピュータに知性を感じた瞬間だったのだと思います。

人が知性を感じるようなプログラムは、さぞ素晴らしいアルゴリズムで、複雑な仕組みかと思いますよね。しかし、プログラムの中身はどうなっていたのかと言えば、非常に単純な仕組みでした。ごく少数の返答をあらかじめデータベースに登録しておき、患者さんが入力した特定の単語に反応して、そのデータベースから返答を選んでいたにすぎません。何も「考える」仕組みはそこにはなかったのです。現代では、人工知能をもじって「人工無能（脳）」などと揶揄されたりしています。

チューリングテスト

では、「知能」があることをどうすれば証明できるのか？　その一つの方法として提案されたのがアラン・チューリングという人が考えたその名も「チューリングテスト」です。

これは、被験者がコンピュータを使って相手と話をし、その話し相手が人間かコンピュータかを当てるというやり方です。もし、コンピュータが話し相手なのに被験者が「この話し相手は人間だ」と思った場合、このコンピュータは人間と同じ、つまり知能があると言えるのではないかという実験方法です。

逆に被験者が「この話し相手はコンピュータだ」と思った相手が実は人間だったら……その話し相手だった人間は一体何なんでしょうか？　実際にこのテストの話し相手として活動した方の体験記のよ

うな書籍が発売されています（『機械より人間らしくなれるか？』ブライアン・クリスチャン著、吉田晋治訳、草思社）。ご興味のある方はぜひ一度読んでみてください。話し相手を務めた側の「コンピュータと間違えられたらどうしよう」「どうやったら人間だとわかってくれるのか」といった複雑な心境が綴られており、人間って何なんだろうと考えさせられる非常に興味深い内容です。

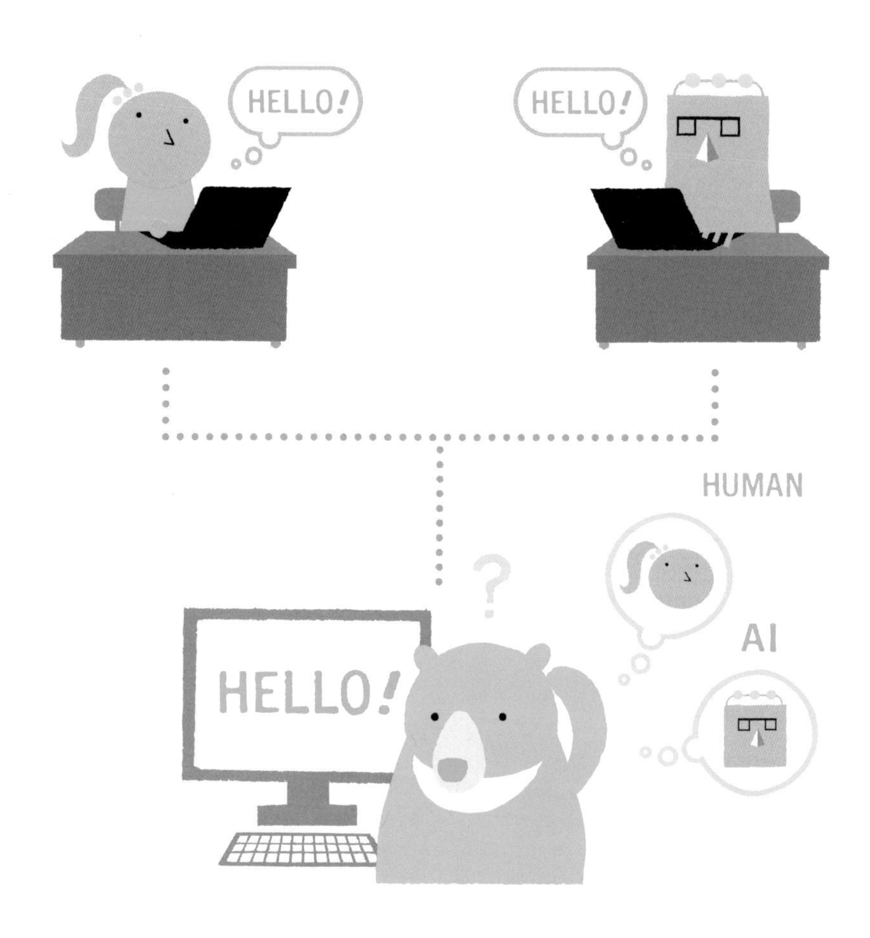

知能があるようにふるまう

それでは、このチューリングテストに合格すれば本当に知能があると言えるのでしょうか？　実際、2014年には、このチューリングテストをクリアするシステムが登場しました。その名は「Eugene（ユージーン）」です。Eugeneは、「ウクライナ在住の13歳のユージーン・グーツマンという少年で、英語を母語としていないためネイティブな英語を使えない」という設定でした。確かにチューリングテストは見事にクリアしたのですが、そもそも設定が不自然で邪道なやり方であったこと、また、実際の会話のやりとりもイマイチということで、かなりの批判を受けたのもまた事実です。

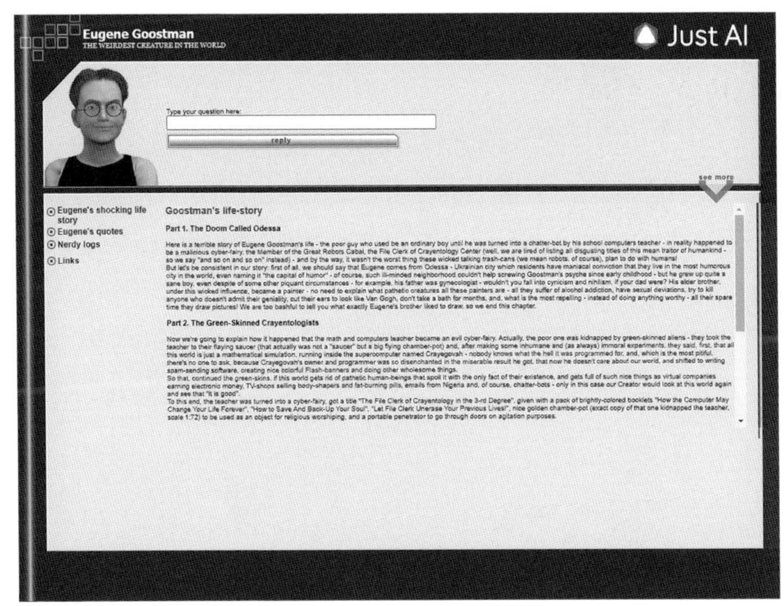

Eugeneのウェブサイト。質問を入力すると答えを返してくれる
（http://eugenegoostman.elasticbeanstalk.com/）

そこで議論になるのがいわゆる「中国語の部屋」という思考実験です。中国語がまったくわからない人が部屋にいて、そこに中国語で質問がきます。その人には質問の意味はまったくわかりませんが、「こういう質問にはこう答えよ」という指示書があり、その人はその指示書の通りに回答します。すると、部屋の外にいる人には、その部屋の中には中国語がわかる人が居るのだと思わせることができるという話です。

中国語がわからなくてもあたかも中国語がわかるような振る舞いをさせることはできるのです。つまり、「知能がなくても知能があるような振る舞いをさせることはできる」ということになります。

CHINESE ROOM

無限のサル定理

同じような話で、「無限のサル定理」というものがあります。これは、何も考えずに無作為に文字を打ち込んでいくと、いつかはどんな文章でも出来上がるという思考実験です。

言うなれば、「サルがタイプライターを永遠に叩き続けると、いつかはシェイクスピアの作品を作ってしまうかもしれない」という話です。確かに、短い時間の中では、でたらめに文字を書いて文学作品を作ることは不可能です。しかし、無限の時間の中では、確率的にはあり得ない話ではないのです。本当に「知能」って、「人間」って何なんでしょうか？　面白いですよね。

Chapter 1

03 人工知能と産業革命

人工知能に至るまでの技術的進歩

我々人類は、太古の昔からいろいろな道具を発明して、なるべく快適に効率良く生きる工夫をしてきました。最初の大発明は紀元前の「車輪」だと言われています。円形のものを転がして物を移動させるという発想で、非常に輸送や移動の効率が上がりました。

その後、青銅や鉄、活版印刷などを発明し、1780年ごろの第一次産業革命と言われる蒸気機関に繋がります。

機械化・電化・自動化

第一次産業革命では、いわゆる「機械化」が始まりました。人力ではない大きな力を使った仕組みは長らく続き、約100年後の1870年ごろに第二次産業革命が起こります。それまでの間に、工場が誕生し、鉄道、内燃機関などが開発されています。

第二次産業革命では、蒸気よりも扱いやすい電気を使った機械化が起こります。「電化」は今ではなくてならない仕組みですよね。便利であるがゆえに、停電などで電気が使えないと何もできなくなるのは、現代の大きな問題だと思います。

人は貪欲な生き物なので、まさかここで満足することはありません。飛行機や自動車を開発し、大量生産を始めます。より効率良く、より便利にということで、また約100年後の1970年ごろに第

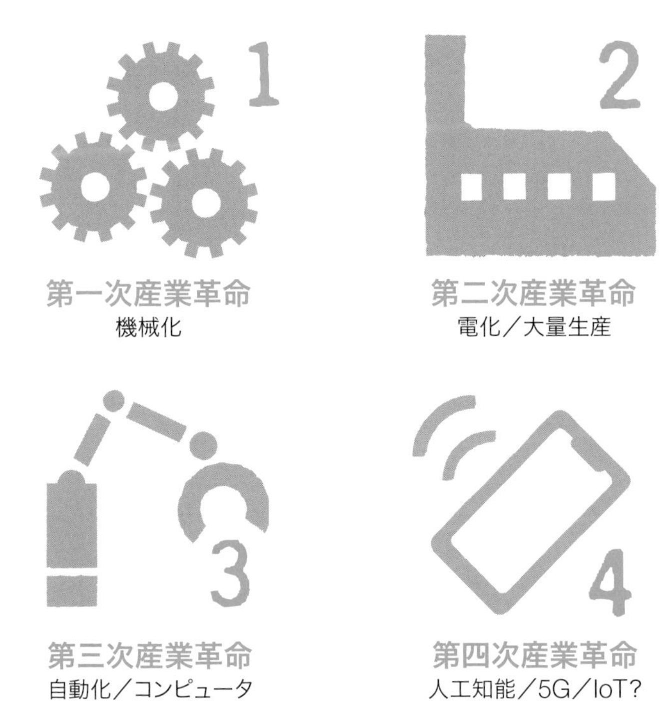

三次産業革命と言われる「自動化」の波が起こりました。

自動化ではコンピュータが重宝され、どんどん高度化していく中、人間が一切関与しなくても製品が作れるようになっています。こうした産業革命が起こるたびに、「人間の仕事を奪う」「失業者が増える」などと大騒ぎになるのは今も昔も変わりません。しかし、現実問題として、本当に仕事は減っているでしょうか？　逆に人間がやることは増えていないでしょうか？

第四次産業革命の到来

第三次産業革命の約50年後の2020年には第四次産業革命が起こると言われています。これは人工知能も活用した産業革命で、別名「インターネット革命」と言われたりしています。

人工知能に加えて5G（→P.058）と呼ばれる第5世代の通信規格によって、無線でも非常に高速に大容量のデータを送受信できるようになります。そうなれば、ありとあらゆるものをインターネットに接続して、いつでもどこでも誰でも便利に使用できる仕組みへと進化するでしょう。いわゆるIoT（Internet of Things）（→P.058）です。

さまざまな家電がスマートスピーカーと連携することで「暮らしのIoT化」が進む

シンギュラリティはやってくるのか

この先も技術革新は飛躍的に進んで行くと思います。すでに2015年の段階で、人工知能の能力は猫の頭脳を超えたと言われていますが、2030年には人工知能の能力は一人の人間の頭脳を超え、2045年には人工知能の能力は全人類の頭脳を超えるとされています。いわゆる「シンギュラリティ」と呼ばれる現象で、日本語では「技術的特異点」と言います。人間の能力を人工知能が超えるということは、人工知能が人間を支配するかもしれません。はたしてそのようなことが本当に起こるのでしょうか。

人工知能のレベルは指数関数的に進化する

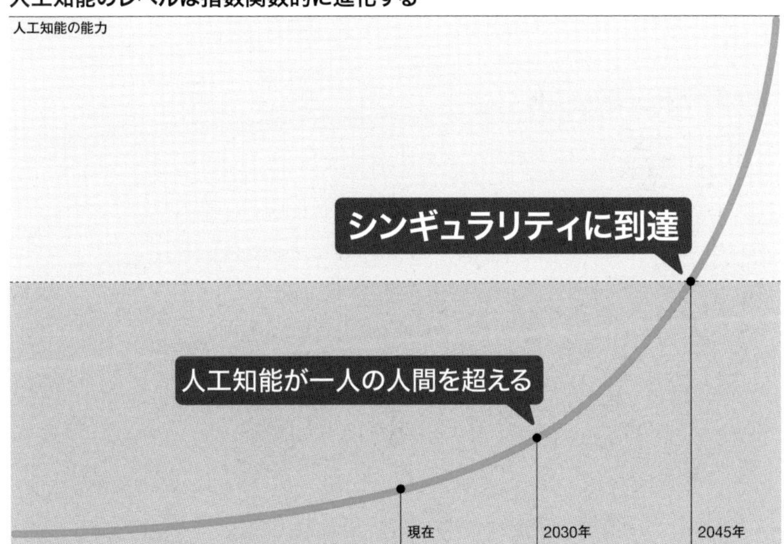

「シンギュラリティ」は人工知能研究の世界的権威と知られるアメリカのレイ・カーツワイルが2005年に提唱したとされる概念。具体的には安価な1台のコンピュータの性能が全人類の計算能力の総量を上回るとした。

2019年の夏に開催された世界人工知能会議において、中国ネット通販大手の「アリババ集団」の馬雲会長は、「人が機械に制御されるとか言うが、そんなこと起きようもない。コンピュータは人間が発明したものだからだ」と述べ、電気自動車メーカー「テスラ」のイーロン・マスク最高経営責任者は、「賢い人が犯す最もまずい過ちは、自分が賢いと思うことだ」と述べています。（朝日新聞、2019年8月30日）

私は、シンギュラリティは必ずやってくると思っています。しかし、だからと言って人間が人工知能に支配されるような物騒な世の中は来ない、いや、来てほしくないと思っています。詳しくは、3-01「AIは人間を超えるのか」で後述します。

人工知能が奪うものと与えるもの

確かに、一時的には一部の職業がなくなるかもしれません。しかし、その仕事を人間は本当に楽しみながら愛情をもってやっているでしょうか？ 嫌々やっていて、できれば誰かに代わってほしい、できればやりたくないと思っていないでしょうか？ もしそうであるならば、機械に代わってもらうことはとてもハッピーなことのはずです。その仕事から賃金が得られなくなるのは大変なことですが、違う仕事はいっぱいあります。

コンピュータは非常に不器用です。実際、1-01「人工知能とは何か」で紹介した「変なホテル」では、オープンして3年が経ち、ロボットたちのリストラが進んでいます。「ロボットは万能ではない。どこまで任せるのか。その切り分けが大事だと気がついた」とは、ホテルの総支配人の言葉です。（朝日新聞、2019年4月7日）

人工知能に代わられる主な仕事

代わられる可能性が高い職業の例

● 一般事務員	● 受付係	● マンション管理人	● CAD オペレーター
● 銀行窓口係	● 警備員	● 建設作業員	● 給食調理人
● 自動車組立工	● 新聞配達員	● スーパー店員	● 測量士
● タクシー運転手	● データ入力係	● ビル清掃員	● ホテル客室係
● レジ係			

代わられる可能性が低い職業の例

● 医師	● 看護師	● 学校教員	● 美容師
● カメラマン	● 映画監督	● 作曲家	● コピーライター
● 編集者	● 演出家	● 漫画家	● スポーツインストラクター
● ソムリエ	● デザイナー	● ソーシャルワーカー	● 研究者
● カウンセラー			

英オックスフォード大学のマイケル・A・オズボーン准教授ほかと野村総合研究所の共同研究(2015 年発表)をもとに作成。10 ～ 20 年後には日本の労働人口の約 49%が技術的には人工知能で代替可能と推計された

器用で柔軟性のある人間はもっと違う、すべき仕事、しなければならない仕事があるはずです。仕事が生きがいというのは良いことですが、たとえ何もしなくても、本当に自分のしたいことをして、充実して生活することを人間は、本当は望んでいるのではないでしょうか。

もしそうであるならば、人工知能をむやみに怖がるのではなく、むしろ、そのような環境になったときに、自分が本当にやりたいことは何なのかを見つけることの方が大事な気がします。私も現在、定年後の生活を暗中模索中です…。

人工知能と社会革命

ここで「社会革命」という視点から、人工知能に繋がる社会的な大きな変革についても述べておきたいと思います。

我々人類も他の生物と同じく、生きていかねばなりません。そのためには、食べるものを確保する必要があります。そこで、太古の昔は、食べるものを取って生活する「狩猟」を行っていました。海に出て魚を捕まえる漁業は、現代に残る「狩猟」と言えるかもしれません。

野山に自生している植物も、今では食べられるものと食べられないものが先人から伝わる知識として共有されていますが、初めにチャレンジした人は命がけだったと思います。キノコなど毒性の強いものについては、多くの人の犠牲の末に獲得できた知識です。

また、動物を狩るとなると、それこそ命がけです。初めは素手で行っていたはずの「狩猟」も、「安全性」や「効率性」を求めた結果として、弓矢や石器という道具が編み出され、使われてきました。

その後、より確実に安心して食料を確保するために、自分たちで食べ物を育てること、いわゆる「農業」を考えました。現在でも農業・畜産は重要な産業ですし、漁業でも養殖技術はなくてはならないものになっています。自分たちで育てるという発想の出現は我々人類の成り立ちにおいて非常に画期的な転換点であり、「農業革命」と呼ばれたりします。

「安全」「効率」というキーワードに加え、産業化ならではの概念である「安価」であることも重要視され、あらゆる事業を大規模に行

う産業社会に突入します。安定して生産することを考えると、灌漑事業が重要になり、また、農工具の開発も活発になりました。より高度な仕組みで、より大きな力で動くものが必要になり、いわゆる「産業革命」に繋がっていきます。

「産業革命」では、前述したように蒸気機関などを代表とする動力や機械の発明によって工業社会が形成されました。人々の生活は非常に便利になった一方で、これまでの仕事がなくなり、失業した人が出てきたのもまた事実です。

物事は常に表裏一体、光があれば影ができます。バランスをうまくとり、自分たちが作り出した仕組みや道具をうまく使いこなす必要があります。大量生産をし、非常に安価に、いつでもいろいろなものが手に入るようになりましたが、せっかく作ったものが大量に作りすぎたせいで廃棄しなければならなかったり、廃棄のことを考えた分が結局値段に転嫁されていたり…しかも、廃棄するプロセスの中で自然環境を破壊していたりします。心の痛む状況ではあるものの、我々がその恩恵を受け続けていることもまた否定できないのです。

情報革命の次に来るもの

その後、動力は蒸気から電気に代わり、ますます工業化、自動化は進んでいきます。現在は、「情報革命」が起こっていると言われており、インターネットやコンピュータがなくてはならないものとなっています。

そして、今ブームの人工知能。これらの技術も弓矢や石器と同じく、あくまで単なる道具です。道具である以上、人類はしっかりと使いこなす必要があり、そのことが最も重要だと思います。おそらく、「情報革命」のその次に来るまた新たなものを人類は見つけていくでしょう。もし叶うならばそれが、人類が本当の意味で豊かになれる、これまでの反省を踏まえた革命であることを願っています。

column

新技術の導入とその責任

人工知能だけではありません。そのほかの科学技術も日々進歩し、日々新しいモノが誕生しています。それに伴い、古い技術は見向きもされなくなり、捨てられてしまうという印象があるかもしれません。しかし、実際にはそう簡単にはいきません。

確かに、新しい技術の方が性能が向上していたり、値段が安かったり、小型化や省電力化されていたりとさまざまなメリットがあるはずです。古くなったモノを新しくしたいという考えは自然の流れでしょう。ただ、本当に、今まで使ってきたモノの完全な代わりになるのか、必要な機能の一部が実装されていないのであれば、それに起因した問題は生じないのかなどをよく考えて、しっかりチェックしておく必要があります。

また、古い技術を使い続けた場合の保守・管理の手間と新しい技術の保守・管理に関わる手間も忘れずに確認しておく必要があります。そして、古いモノを新しいモノに置き換えたときには、新しいモノにしたせいで問題が生じた際に、きちんと責任を取らなければなりません。

この新旧の比較やチェックには非常に大きなコストと時間がかかります。場合によっては、古い技術を使い続けた方が実は都合が良いこともしばしばです。しかも、最悪のケースでは責任問題になりますから、このような切り替えを安易に行う人は少数派と言えるでしょう。そのため、新しい技術が出来上がっているにもかかわらず、これまでちゃんと動いてきたという実績から信頼性が高い古い技術が使い続けられてしまうということもよくあります。逆に、新しいことは良いことだと安易に置き換えて大きな問題に発展し、被害が拡大することもあります。

古い技術を使い続けるのか、新しい技術に切り替えるのかには、それぞれにメリットとデメリットの両方があります。どちらかに安易に飛びつくのではなく、しっかり見極めて行動する必要があるでしょう。

Chapter 1

04

人工知能の歴史：第一次〜第三次ブームまで

世界で最初のコンピュータ

現在の人工知能ブームは、実は3回目になります。では、1回目の人工知能ブームはいつだったかというと、それは1960年代前後に遡ります。ちょうどこの頃、コンピュータにとっては重要な技術的発展がありました。

そもそも、我々がよく知るコンピュータ（ここで言うコンピュータはデジタルコンピュータ）は、1946年に発表されました。今からたった70年ほど前の話です。その約20年後の1969年に、現在のインターネットの前身であるARPANET（→P.058）の運用が開始されています。インターネットが我々の周りで一般的に広く普及したと言われるのは、Windows95が発売された1995年のことですから、誕生から25年程度で、なくてならない技術にまでになったということになります。非常に速いですよね。ちなみに、電話が普及するのに約100年かかったことからも、インターネットの普及の速さの凄まじさは実感できると思います。

初心者でも操作を理解しやすく、一般家庭も急速に普及した（Roland Magnusson / Shutterstock.com）

人工知能という言葉の登場

では、人工知能はというと、1956年にダートマス会議という研究発表会で初めて命名されました。なんとコンピュータが発表されてからたった10年後の話です。偉い人たちが考えていることや頭の中って本当にすごいですよね。

非常に簡単なことしかできなかった当時のコンピュータを見て、「これで人工知能を作れるはずだ」と考えられる。普通の人は誰もそこまで想像できなかったと思います。「将来」や「未来」を「想像」「創造」できる力があるからこそであり、そのような考えがまずなければ、本当にそのような世界がやってくるはずもありません。

第一次ブーム：探索と推論

実際に、第一次人工知能ブームが来たのは、人工知能という言葉ができてから約10年後のことでした。当時は、問題を解く「探索」と、知っている知識から新しい知識を連想する「推論」という2つの技術が注目されました。

「探索」の技術を使うことで、いろいろな組み合わせの中から答えを見つけ出すことができるようになりました。また、「推論」という技術では、「鳩は鳥だ」「鳥は飛ぶ」という1つの知識を繋げることで「鳩は飛ぶ」という新たな異なる知識を作り出したり、「鳩は鳥で飛ぶ」「カラスも鳥で飛ぶ」という知識の共通している部分から「鳥は飛ぶ」という新しい知識を連想したりすることができるようになりました。

それまでのコンピュータは人間が指示したことしかできなかったため、こうした技術は非常に画期的であり、明るい未来の到来を感じたと言われています。

実験室の限界

しかし、「流行物は廃り物」。ブームはやがて去ってしまいます。1970年代後半にはすっかりブームは消えてしまいました。未来が見えるような素晴らしい技術だったのになぜか？ それは、このときの人工知能が扱える問題が非常に限定的だったからです。実験室ではできる、または子供を対象にした簡単なゲームのようなものには使えたけれども、実際に我々が直面する複雑な問題には一切使えなかったのが原因です。

研究者や技術者は、ついつい自分のやったことを大きく宣伝しがちです。非常に多くの時間と費用を使って作り出したものなので、ある程度は仕方がないのかもしれません。これは昔も今も残念ながら変わりません。パンフレットやCMなどでは、やはり良いことばかりをキラキラと誇張して表現していますよね。

でも世間の方は非常にドライなもので、これまではすごい技術だともてはやし、多くの研究費を投入してくれていたのに、一度ダメだとわかると手のひらを返したかのように研究予算を削減されたり、予算が出なかったり、はたまた「ペテン師」呼ばわりされるなど、この当時の研究者はかなり冷遇されたようです。

第二次ブーム：エキスパートシステムとファジィ

それでも知的好奇心を糧にめげることなく研究者たちは研究活動を続け、ついに第二次人工知能ブームを起こすことに成功しました。1980 年代のことです。

第二次人工知能ブームでは、複雑な問題にも対応できるようにするため、専門家の考え、専門知識をデータベースとして記憶させる「知識ベース」を利用する「エキスパートシステム」という技術を導入しました。

初期のエキスパートシステム
(Michael L. Umbricht and Carl R. Friend [Retro-Computing Society of RI])

「知識ベース」には、「このようなときはこうする」「こんなときはこうする」という「もし〜なら◯◯をする」という知識をたくさん登録しておきます。つまり、専門家である人間が実際に使っている知識や実際に行っている判断をそのままコンピュータに実行させようという試みです。

この方法は理想通りに活躍し、実際、飛行機の自動運転などに利用され、非常に大きな成果を残すこととなりました。現在の飛行機では、離陸、着陸時などを除き、ほとんどが自動運転になっており、飛行機が事故を起こす原因の大半は自動から手動に切り替えたことによるものと言われるほどになっています。

フランスのエアバス社は画像認識技術を使った自動操縦によって初めて離陸に成功したことを発表した（AIRBUS 社プレスリリースより：https://www.airbus.com/newsroom/press-releases/en/2020/01/airbus-demonstrates-first-fully-automatic-visionbased-takeoff.html）

エキスパートシステムの概念図

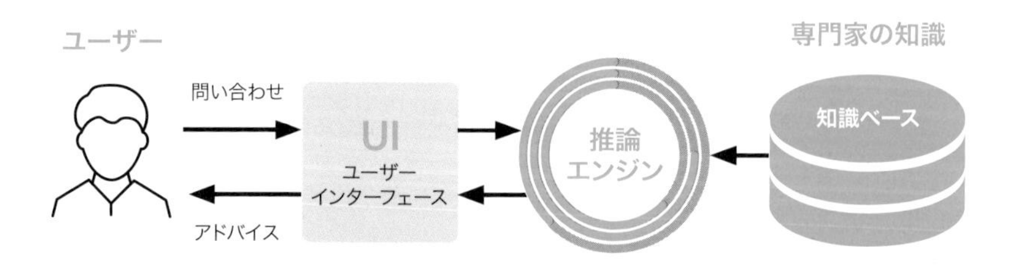

人工知能搭載の家電

また、ちょうど日本ではバブルの時期と重なり、人工知能を搭載した家電が数多く販売されました。このとき使われた「ファジィ」という技術は専門家の知識を利用し、「0」「1」だけではなく、より柔軟な判断ができるように進化させたものでした。特に、「ファジネス」と呼ばれる概念の境界が不明瞭な問題を解くことができました。

専門家のコピーは作れない

しかし、第二次人工知能ブームも例外なく、やはり衰退の道を辿ることとなります。その主な原因は、「エキスパートシステム」も「ファジィ」も専門家の知識や判断をすべて記録したり登録したりする必要がありますが、その作業が非常に大変であったことです。専門家に多くの時間を取ってもらう必要があり、また、出来上がったデータベースをメンテナンスするのにもまた、専門家に協力をしてもらわなければなりませんでした。

さらに、専門家だけではなく、メンテナンス作業をする人もまた多くの経験を積んだ専門の技術者である必要もありました。もちろん新入社員にはまだまだ専門技術がありませんので、メンテナンスすることができません。そのため、その新入社員を教育し、経験させ専門の技術者に育てる、つまり「匠の技」を次の世代に引き継いでいく必要が出てきます。ただ、それには多くの時間とコストがかかります。

バブルの崩壊とブームの終わり

やがてバブルが崩壊し、集中と選択をしながら、効率を最優先せざるを得ない環境になりました。そのような状況の中では、手間や時間がかかることはどう考えても不都合です。1990年代後半にはこの第二次人工知能ブームも終焉を迎えることとなったのです。

モノは作るのも大変ですが、そのあと、保守・管理をすることも非常に重要です。また一見、地味に見える保守・管理にも多くのコストがかかります。あの頃の時代は、こうしたことをしっかりと認識してモノを作る必要があったことを忘れていた、あるいは意識したくなかった時代なのかもしれません。

第三次ブーム:ビッグデータの解析

しかし、その後すぐの2000年代に、すでに第三次人工知能ブームを予感させる動きがありました。それは「**ビッグデータ**(→P.058)の解析」と言われるものです。大量のデータをコンピュータに蓄積し、その大量のデータを「統計処理」することで、そこから何かしらの知識やルール、規則、法則などを見つけ出すことができるのではないかという技術です。

「統計処理」とは、つまり数学で物事を扱うということであり、第二次人工知能ブームで問題となった熟練の経験が必要な「匠の技」が要らなくなるという点で非常に効率の良い方法です。

実は、我々が一般的に言う「あいまい」という概念には2つの側面があります。一つは、「ファジィ」で扱っていた境界が不明瞭であるという「ファジィネス」、もう一つは、ある事象が不規則に発生するという「ランダムネス」です。「統計処理」は、後者の「ランダムネス」をターゲットにした技術です。

上が「ファジィネス」、下が「ランダムネス」のイメージ

オムツ売り場のビール

この統計処理が実際に活用された海外の有名な事例として、「オムツ売り場にビールを置くと売り上げが上がる」というものがあります。これは、ショッピングをする人の購買履歴をたくさん集めて統計解析することで「オムツとビールが一緒に購入されるケースが多い」ということがわかったことから、オムツ売り場にビールを置いたところ、なんと実際に売り上げが上がるということが起こりました。

人間が普通に考えただけでは、決してオムツ売り場にビールを置くことはあり得ませんので、さすが常識や固定観念がないコンピュータがはじき出した結果だと思います。この結果は、どうも、仕事帰りにオムツを買ってくるように言われた旦那さんがついでに夜に自分が飲むビールを買っていったという行動から来ていたもののようです。

このような大量のデータから何かを抽出しようという考え方は、実は古くからあるのですが、ちょうどこの時期に大量のデータを保存できる記憶装置であるメモリやハードディスクが安価に調達できるようになり、また、その大量のデータを処理する強力な頭脳であるCPUやGPUが、これまた安価になった影響が大きいと思われます。ソフトウェアの技術とハードウェアの技術の進歩がうまくマッチした好例です。

ディープラーニングの流行

その後、2010年代になって、ついに近年ブームの「ディープラーニング」をはじめとした人工知能が登場します。実は、この「ディープラーニング」という技術も1980年代にできた「ニューラルネットワーク」という技術を改良したものです。こうした技術は人間の脳の仕組みをコンピュータでシミュレートしたもので、昔はそんなに多くのデータを扱えなかったのですが、最近のハードウェアの進歩によって実現できるようになりました。

昔の技術は陳腐で、今の技術が素晴らしいというような雰囲気がありますが、実はそうとも言えず、昔の技術を現代に合わせてリバイバルしたものは非常に数多くあります。ファッションの世界も同じですよね。昔の人が築いた功績はやはり素晴らしいものなのです。

Chapter 1

05 人工知能の温故知新

すでにある技術を現代風に解釈する

「故(ふる)きを温(たず)ねて新しきを知る」。すでにある技術を現代風に解釈すると、まったく新しい技術になることが結構あります。ファッションと同じく、技術もリバイバルされて登場します。

上辺だけを着飾ってきらびやかに装っても、その芯にあるものがしっかりしていなければ、すぐに化けの皮やメッキは剥がれてしまいます。しかし逆に、その芯や軸がしっかりしてさえいれば、上辺が陳腐化して時代遅れになったとしても、次の時代に合うように装いを一新すれば、必ず必要とされるものになるでしょう。

クラウドとクライアントサーバシステム

例えば、「クラウド」というシステムがあります。データを個々のコンピュータに保存するのではなく、ネットワークに接続されている別の場所にあるサーバというコンピュータにデータを保存する仕組みです。これにより、いつでも、どこでも、どのコンピュータからでも目的のデータを自由に使用できるようになります。

これは昔、「クライアントサーバシステム」と呼ばれていた仕組みや考え方とほぼ同じです。違いは、昔はサーバというコンピュータが基本的には1台であったのに対して、今はサーバが複数台で構成されているところです。

クライアントサーバシステムとクラウドの違いの概念図

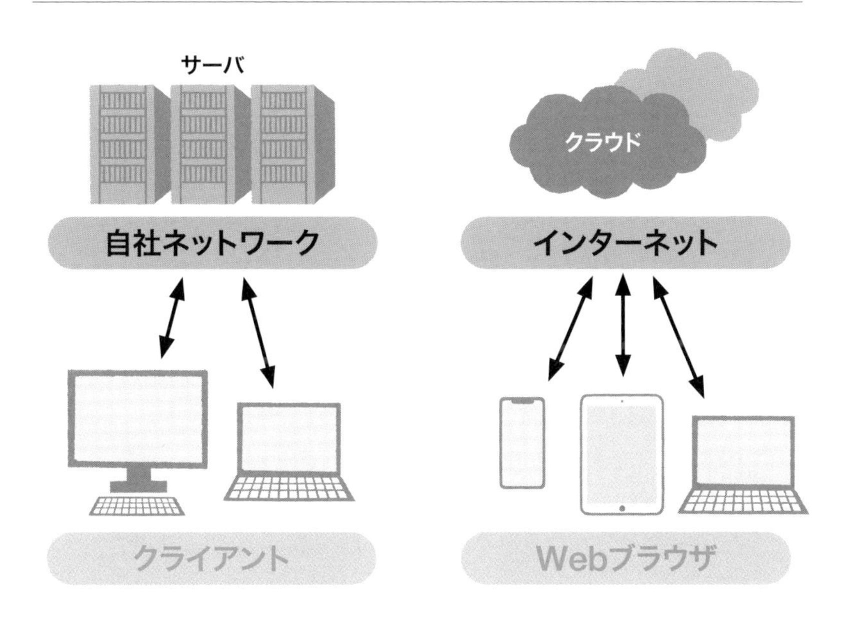

複数台のサーバでシステムを構築することで、あるコンピュータが故障しても、他のコンピュータで代用することができます。つまり、故障などによる障害が起こる確率が減り、稼働率を上げることができます。また、データを複数のサーバに分散させて保存することで、1つのデータを1台のサーバから取り出すのに対し、1つのデータを少しずつ複数のサーバから一度に取り出すことになります。そのため、高速にやりとりをすることができるようになります。さらに、1つのデータを複数のサーバに分散させて管理することで、ハッキングなどの危険性も回避でき、安全性にも寄与することができます。

IoTとユビキタスコンピューティング

他には、「IoT」という考え方があります。エアコンやテレビ、インターフォン、車など、いろいろなモノをインターネットに繋いで、いつでもどこからでも操作できるようにしようという試みです。

これは昔、「ユビキタスコンピューティング」と言われていました。ちょうどインターネットが普及したころブームになりましたが、開発にはかなりのお金がかかるということで、研究レベルで終わってしまいました。

しかし、5Gと言われる次の世代の通信技術により、多くのコンピュータを高速に、安価に接続できるような環境が来ると、こうした考え方は一気に普及するのではないかと言われています。いろいろなモノをインターネットに繋ぐことができたら、例えば、洗濯機の終了のアナウンスを部屋のテレビのスピーカーから出力させることができたりします。コンピュータが冷蔵庫の中の残り物を把握し、近所のスーパーの特売チラシの情報と照らし合わせながら、今晩の夕食のメニューを自動的に決めてくれて、しかも、足りない材料を注文してくれるようなこともできるようになります。

ディープラーニングとニューラルネットワーク

そして、近年ブームの「ディープラーニング」ですが、これも約30年前の「ニューラルネットワーク」という技術を改良したものです。私が学生のころに教科書で学んだものだったので、「ディープラーニング」が世の中に出始めたとき、「あれ？　まだできてなかったの?」とびっくりしたことを覚えています。

この技術は、人間の脳の中の仕組みをシミュレートしたものです。脳細胞一つひとつはごく単純な処理しかできないのですが、たくさんの細胞が集まると、脳として複雑な処理ができるという考え方を基にしています。

当初の「ニューラルネットワーク」では、ハードウェアの進歩が追いついておらず、そんなに多くのデータを処理することができなかったのですが、現在では、非常に多くのデータを安価に処理することができるようになり、爆発的に広まりました。また、入力と出力の間に「中間層」というところがあり、その部分でデータを圧縮したり、特徴を抽出したりすることで、物事を柔軟に捉え、賢さ、知的さに繋がっています。ニューラルネットワークでは、この中間層がたかだか１つであるのに対し、ディープラーニングでは、２つ以上を有しています。これにより、ニューラルネットワークに比べディープラーニングの方がより賢く物事に対応することができます。この技術の効果は絶大で、これまで70％ぐらいの性能しか出せていなかったものが、一夜にして90％を超える数値を叩き出すということが起きています。身近なところでは、自動ブレーキのシステムや自動翻訳のサービスなどでその変化を実感することができます。

ニューラルネットワークの概念図

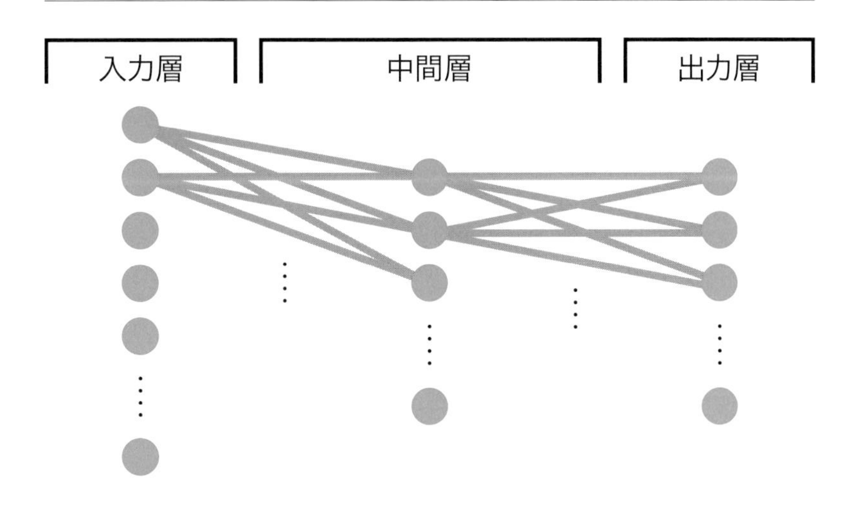

ディープラーニングの概念図

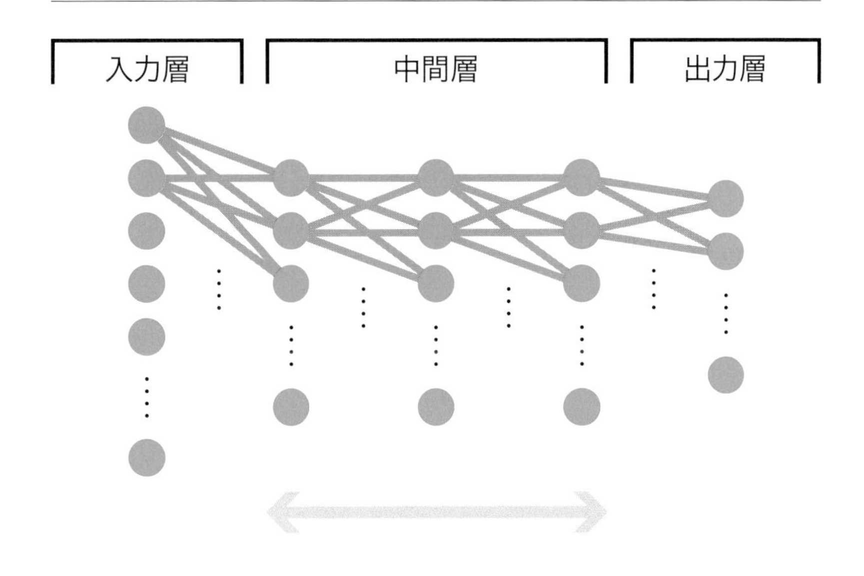

ディープラーニングは別名「深層学習」とも呼ばれる。中間層を増やすことで深く思考することができるが、同時に計算処理に要する時間も増えてしまう。業務や処理内容に合わせて最適な層の数を設定することが重要になる

「ねじれの位置」で進化する技術

このように、ファッションと同じく、技術もリバイバルされます。しかし、円を描くようにまったく同じ仕組み、まったく同じ技術をぐるぐると使いまわしているわけではありません。例えるなら「バネ」のようなイメージで、円は描いているけれど少し上にズレた位置に戻ってきます。数学で言うと「ねじれの位置」に帰ってきます。

この少しの進歩が大きな革命だったりします。そして、少し上の位置に戻ってきたときには、例外なく名称が変わっています。名前が違うのでまったく新しい技術だと思いきや実はそうでないことが…。案外、名前だけが立派で、本来は不要なものに高額な請求をされていることがありますので注意したいところです。

ちなみに、1-04「人工知能の歴史」でも触れたように、第二次人工知能ブームの際には「ファジィネス」をターゲットにしていましたが、技術の伝承の難しさ、多くのコストがかかることから、現在の第三次人工知能ブームでは、もう一つのあいまいさである「ランダムネス」に注目して問題を解いています。しかし、そもそも「ファジィネス」と「ランダムネス」とは異なる現象であり、異なる「あいまいさ」を扱っています。そのため、いつか必ず限界がやってきます。過去の歴史を見ていると、また「ファジィネス」を扱う技術が、しかも少し進歩して、次の時代にはブームになるかもしれませんね。

「ねじれの位置」で進化したものとして、例えば、文字でのコミュニケーションがあります。相手に思いや情報を伝えるために昔から手紙を利用しています。その後、同じように文字を使うけれども、より迅速にということで、短い文による電報ができ、さらに、より手軽にいう視点で手紙のデジタル版であるメールが開発されました。最近では、そのメールをさらに気楽にということで、短い文でのやりとりが中心のLINEやメッセージが使われています。すべて文字を利用するコミュニケーションですが、少しずつ時代に合わせて進化しているのがわかるかと思います。

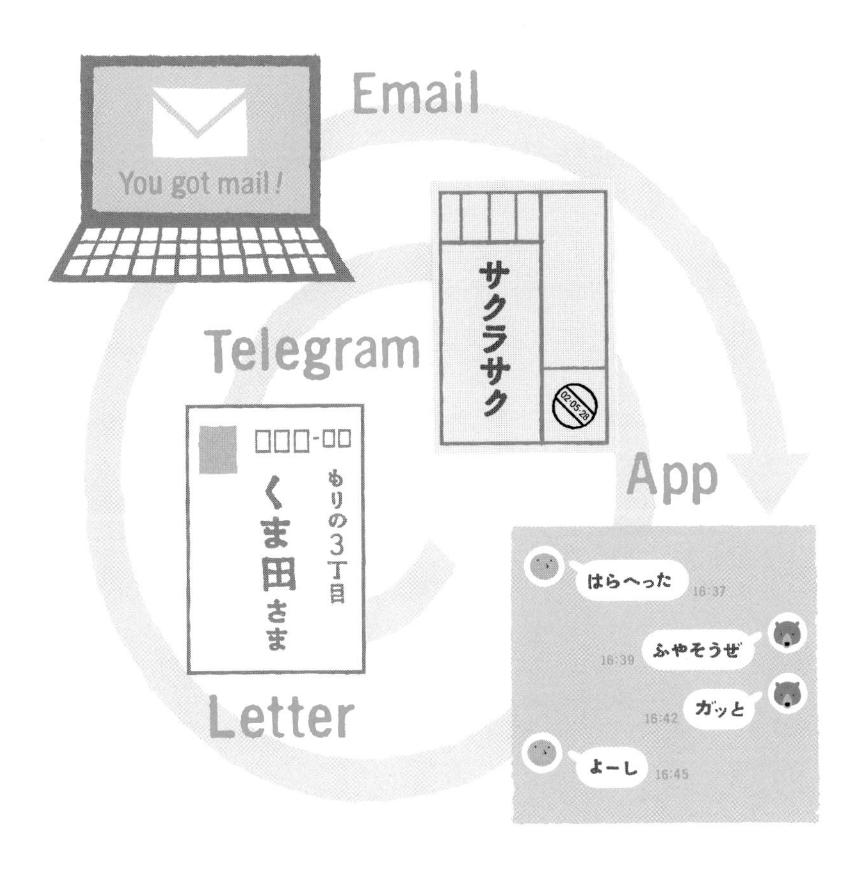

用語解説

➤ スマートスピーカー

人間の音声でインターネット上のサービスや連携した家電の操作などがおこなえる装置。AI スピーカーとも呼ばれる。「スピーカー」と名前にある通り、音楽の再生もできる。Amazon や Google など、大手 IT 企業各社からさまざまな形状のものが販売されている。

➤ 5G（ファイブジー）

「5th Generation（第 5 世代移動通信システム）」を意味する。4G（第 4 世代）と比べてさらなる高速化を実現した通信規格で、「高速・大容量」「低遅延」「多数同時接続」を可能にした。日本では 2020 年春から大手キャリアがサービス提供を始めている。

➤ IoT（アイオーティー）

あらゆるモノや端末がインターネットとつながることで通信・制御が可能になること。テレビや冷蔵庫といった家電をはじめ、自動車や工場の機械など対象は幅広い。米 Apple 社の「Apple Watch」は腕時計が IoT 化した例。5G の普及と相まって今後より画期的な製品やサービスが生まれる可能性がある。

➤ ARPANET（アーパネット）

Advanced Research Projects Agency Network の略称。アメリカ国防総省の高等研究計画局（ARPA）が主導して開発した世界初のネットワークとして知られ、現在のインターネットの原型とされている。開始当初は 4 つの大学や研究機関のコンピュータを接続しただけのものだった。

➤ ビッグデータ

文字通り「巨大なデータ」のことを指すが、主に近年のデジタル技術の進歩によって収集が可能になった行動履歴や消費情報、小型化した各種センサーなどから得られる大量のデータのことを言う。AI を用いて分析することで、より有効な活用が期待できる。

Chapter 2

AIのいま

どのような技術的な課題があるのか。それは現在どこまで解決しているのか。問題はすでに「社会でどのように人工知能を受け入れたらよいのか」という段階まで来ています。

Chapter 2

01

人工知能は感情を持てるのか

「感情」は神の領域

人工知能の研究をしているとよく質問されることの一つに、「将来コンピュータは感情を持つことがあるのか?」というものがあります。

実は、私も研究として「感情」を扱っています。例えば、発話者が抱いている感情をその発話内容から推定する技術や、脳波を利用してその人が抱いている感情を推測する方法などを研究したりしています。

感情は、人間しか持ちえない特殊な感覚として認識されていることがあり、コンピュータが感情を持つことに抵抗感を抱く方も少なくないようです。実際、数年前までは、海外で感情を理解するコンピュータに関する研究発表を行うと、いわゆる「神の領域」「神への冒涜」と批判されることが多くありました。海外の方々の話を聞いていると、やはり宗教観に依存する部分が大きいと感じます。

例えば、キリスト教の宗教観では、神は唯一であり、その神がすべてを作られたとされています。神は絶対で、それ以上の存在はあり得ないと考えることが普通であり、そこから外れたことは決して受け入れられないという信念があります。そういう意味では、年末から年始にかけて、クリスマスを楽しみ、除夜の鐘を聴き、初詣に出かける日本人ならではの宗教観のおかげで、日本では研究の幅の広さを実感します。日本人ならではの、日本人だからこそできることがまだまだたくさんあるように感じています。

人との共存に感情という要素は不可欠

本題の「コンピュータは感情を持てるのか」ということですが、「感情」とは何なのか、また、「持つ」とはどういうことかの定義により結論は変わってくるでしょう。「感情」も「人工知能」や「知的」などと同じく、多くの分野で多くの研究者が取り扱っていて、「感情とはこれです」と簡単に定義することはできず、難しい問題なのです。

ソフトバンク社の「Pepper」は感情を持つロボットして知られる。気分や相手から受ける印象によって声色や会話の内容が変化する（MikeDotta / Shutterstock.com）

また、海外で論文発表され、定義されたとしても、日本語に翻訳して使用しようとすると、文化や宗教観の違いにより、異なる印象になることも珍しくありません。例えば日本では、感情のことをよく「喜怒哀楽」と表現しますが、英語の「Happy」は「喜」か「楽」なのか？　区別は難しいですよね。

感情を表現する言葉にはたくさんの種類がありますが、どの言語においても、「嬉しい」などのプラスのイメージの言葉より、「悲しい」や「怒り」といったマイナスのイメージの言葉の方がはるかに多いことが知られています。これは我々人間が進化の過程で、命を守るためにマイナスの状況から脱することを最優先した結果なのかもしれません。

さて、私の意見ですが、コンピュータは感情を持てない、または感情を持つ必要がないと考えています。人と共存できるコンピュータを考えた場合、やはり人間の状態を認識したり、理解したりする必要があるので、コンピュータに「感情」という概念は必要不可欠です。しかし、コンピュータ自身が感情を持つ必要はないのではないかと思います。コンピュータが感情を持っているかのように、そのコンピュータに接する人が感じることさえできれば、コンピュータに思いやりを感じることができるのであれば、十分に共存することができるのではないでしょうか。

感情は論理的・合理的判断にとって邪魔者

逆に、下手に感情をコンピュータが持ってしまうと、怖いSF映画のように人間が支配されてしまうかもしれません。なぜなら、感情とは、論理的で合理的な判断を逸脱させるときに活用されるものだからです。

例えば、「火事場の馬鹿力」というものがありますが、通常、人間は自分の体を守るために、ある程度の制限を自分自身でかけて行動しています。その制限、リミッターを緊急事態の際に解除する装置が感情だったりします。

力を出すという生理的な反応もそうですが、火事が起こり、自分の幼い子や愛する人がその中に取り残されたとき、自分が危ないにもかかわらず、危険を冒してその現場に入っていくという状況は違和感なくイメージできるでしょう。論理的には危ないとわかっていて、通常であればそのようなことは決してせず、逃げるという行動をとるはずです。しかし感情は、その論理的な考え方を覆す働きを生じさせます。これが負の方向に作用すると、人間は戦争という非情な行為を取ってしまうのです。

人はモノに感情移入する

「コンピュータに感情があるように感じた」という経験は、実は皆さんもしたことがあるのではないでしょうか？ 例えば、愛車で彼女とデートをするときに限ってエンストしたり、どうも体の調子が悪いと思ったら愛車のランプが切れていたり…。私にも似たような経験があります。某車メーカーの社長さんの話だと、工業製品に「愛」を付けて呼ぶのは車だけとか。

また、別の例では、SONY が 1999 年から 2006 年に発売し話題となった犬型ロボットの AIBO（アイボ）の話があります（のちに aibo として再販売されました）。2014 年に修理のサポートが終了してしまい、処分せざるを得ない状況になりました。そのとき、AIBO をちゃんと供養をして、埋葬する人がいたそうです。第三者からすると単なる機械、おもちゃなのかもしれませんが、愛犬として一緒に生活してきた人にすればそれは立派な相棒なのです。

車にも AIBO にも感情はありません。でも、人はそこに生きた感情を感じるのです。そして、生きた感情を感じなければ、共存することは難しいのではないかと思います。

現行版の aibo。人間の顔を認識し、会えば会うほどその顔を覚えていく。クラウドと連携し、日々成長・変化し続ける（VTT Studio / Shutterstock.com）

現行版 aibo のウェブサイトには「先代 AIBO ウェブサイト」(https://www.sony.jp/products/Consumer/aibo/index2.html) へのリンクがある

Chapter 2

02

AIが得意なこと、苦手なこと

何でも「できない」人工知能

人工知能は何でも学習して、何でもできる万能なモノと感じている人がかなり多くいるようですが、そのようなことは決してありません。ニュースなどを見ていると、あれもできた、これもできたと報道されていますし、近い将来、人間を超える存在になるかもしれないと言われると、そう感じてしまうことも無理はないかもしれません。

しかし、ちゃんと（?）人工知能にも得意なことと不得意なことがあります。人工的に人間の知能を模倣したものが人工知能です。得手、不得手がある人間をお手本にしているのですからそれも当然なのかもしれませんね。

プロ棋士に勝つAIの登場

では、人工知能は何が得意なのか？　それは、ルールや規則が明確でしっかりと定義されているものです。そのような問題や状況に対しては、非常に大きく、有効な力を発揮します。

一番わかりやすいのは、将棋やチェスといったゲームです。すでにご存知の方が多いと思いますが、将棋やチェスの分野では、人間のプロにも勝る力を持った人工知能がもう存在しています。2018年に話題となった将棋の藤井聡太プロも人間だけでなくコンピュータを相手に腕を磨いているということですから、人工知能の力は凄まじいものなのでしょう。このような分野に関しては、人工知能は人

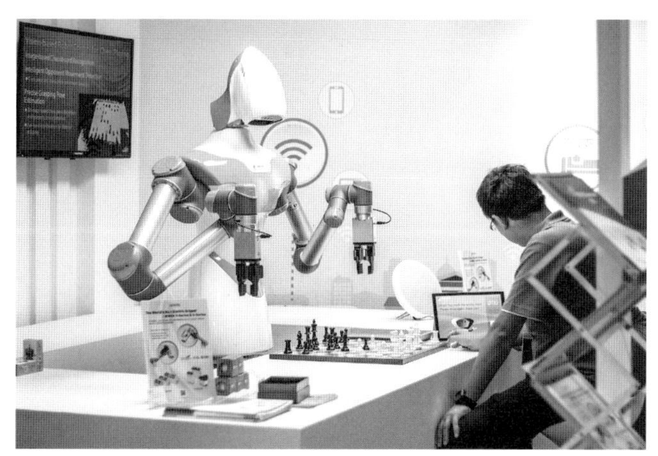

毎年ベルリンで開催されている国際エレクトロニクスショー「IFA」で披露されたチェスロボット（Grzegorz Czapski / Shutterstock.com）

間の能力をもうすでに凌駕していると言っても過言ではありません。ちなみに、将棋というゲームでは、序盤、終盤に関しては、打つべき手がすでに解析済みであり、バリエーションが存在するのは、中盤の少しの手数のみになっているとも言われています。同じようなゲームのオセロに関しては、必勝法が完全に解析されており、ゲームとしてもうすでに成立しなくなってしまっているという現実があります。

自然界にはあり得ない世界

このようなルールなどがしっかりとしている環境のことを「閉世界」と呼ぶことがあります。与えられたルールや規則のみで出来上がっている環境のことで、つまりは与えられたルール、規則がすべてであり、その他のものは一切存在しない世界のことです。このような環境は、自然界ではあり得ず、人間が意図的に作り出した環境ということになります。

実験室で実験する際には、このような環境を巧みに作り出し、その製品の性能を評価することがしばしばあります。実際の環境で問題なく動く製品を目指し、一つひとつ、一歩ずつ、地道に開発を続けるための初期の頃には、このような環境での実験は必要不可欠です。

ではここで問題です。「もし、想定していなかったものが入ってきた場合、想定していなかったことが起こった場合、その環境、その世界ではどう対処することになるのか?」。答えは、その想定していなかったモノ・コトはすべて「偽（偽物、誤り）」と認識されます。そして、それらのモノ・コトは、あり得ないこととして、いっさい処理されないことになります。簡単に言えば無視されるということです。

我々が生きている世界では、ルールから逸脱した事象が日常茶飯事として起こります。そのため、このような「無視をする」などという対応はあり得ません。まったく、ひどい対処法ですよね。

弱いAI:自動運転車

このような「閉世界」で活躍する人工知能のことを「弱いAI」や「特化型AI」と呼ぶことがあります。ある特定の環境下で、ある特定のことを実現する人工知能ということになります。

現在の自動運転の自動車も、ある意味この範疇の人工知能かと思います。例えば、高速道路であれば、料金所から合流し、白線の中を一方向に、制限速度を守って走り、目的の出口から出るという特定の行動が想定できます。交通ルールも人間が独自に決めたものですから、ルールが好きな(?)人工知能の得意分野になるのは当たり前と言えば当たり前のことなのです。

人工知能のタイプ分け

「強いAI」「弱いAI」はアメリカの哲学者ジョン・サールが提唱した概念。人工知能と聞くと人間並みの能力を持ったものをイメージするが、今はまだ限定された領域で人間を凌駕しているにすぎず、「強いAI」が実用化された例はまだない

現実では想定していないことが必ず起こる

しかし、一般道となると少し話は異なります。すべての人が交通ルールを完璧に守ってくれれば良いのですが、信号無視や無理な運転、歩行者や自転車の急な動き、道路工事や駐車車両など、通常の想定されたルールにはないさまざまな突発事項が起こり得ます。こうなると人工知能にとっては途端に難しい状況になってしまいます。つまり「閉世界」ではなくなってしまうのです。海外では、自動運転の自動車が人を轢いてしまったり、車線変更してきた車とぶつかってしまったりなどといった事故の報告があったりします。

この海外での事故に関しては、まだまだ未熟な人工知能を搭載しているにもかかわらず、使用の許可が出て、実際の環境で運用されていることにも問題があると思います。日本であれば、かなり厳しい基準を設け、それに則って許可が出ますので、実験者がよほどのミスをしない限り、このような事故はほぼ起きないと思われます。その代わり、日本は規制が厳しく何もできない、このままでは世界に置いて行っていかれてしまうという意見もよく聞きます。研究活動をしていると、確かにそのような状況に陥ることもしばしばあるのは現実です。しかし、人命以上に大事なものはないはずです。

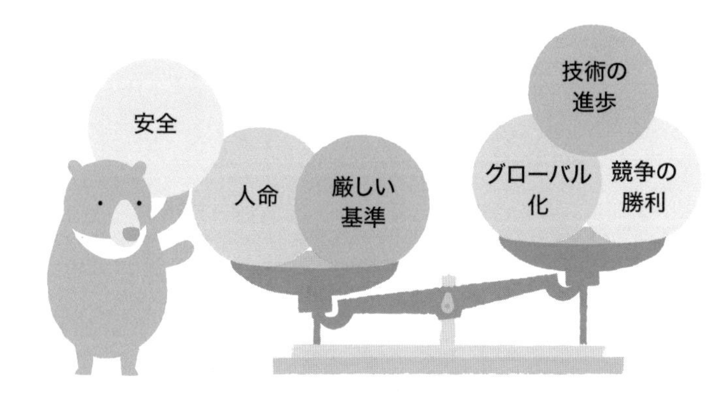

日本の家電や車、農作物などほぼすべてのモノには、厳しい基準で厳しいチェックがなされています。それが日本の良いところです。一方で、グローバル化に伴い、海外のやり方を真似る、海外に置いて行かれないように行動することも非常に重要になっています。しかし今こそ、日本でしかできないこと、日本の信念をしっかりと持って行動していかなければ、将来はそれこそグローバル化の波に飲み込まれてしまうでしょう。

ルールを作っているのは人間

現時点では、人工知能は決して万能ではありませんが、人間が関わっている以上、それも仕方がない気がします。ルールを作っているのも、それに違反するのも人間なのですから…。

我々は、「自然の法則という規則」と「人間が自ら生み出したルール」に縛られることで、一定の秩序をもって生活しています。しかし、すべての人や物事がルールに従って行動するとは限りません。必ず違反するものが出てきます。

そのような突発的な出来事にも我々は日々臨機応変に対応しながら生きています。そうでなければ、決して生きていくことはできないでしょう。だからと言って、人間の作るルールが不要であるということではありません。また、すべてをルール化できるわけでもありません。

そこが人間の弱さであり、また強さなのだと思います。しかし昨今、「想定外でした」が許されない風潮が強くなっています。このことは、我々の世界をいわば「閉世界にせよ！」と言っているように聞こえなくもないのですが…。

データと統計学の限界

今流行っている人工知能は、あくまで大量なデータと統計学に基づいたものですので、やはり苦手とするものもあります。

では、なぜ難しいのか？　それは、ルールや規則が存在しない、または、ルールや規則がたとえ存在していても、そのルールや規則が非常に曖昧であるということが原因の一つです。このような環境のことを前述の「閉世界」と対比して「開世界」と呼ぶことがあります。我々が日々直面している現実の世界そのもののことです。

人工知能もプログラムでできていますので、そもそもルールがなければ一切動くことはできません。また、そのルールが曖昧であれば、つまり、そのルールが複数の解釈ができるものである場合、どの解釈に基づいて行動すべきかがわからなくなり、結果として動けなくなってしまいます。

人とのコミュニケーションの難しさ

例えば、我々人間のように言語を操って自由に会話をし、コミュニケーションをとることは人工知能にとって難しいことの一つです。

日本語を例にすると、「家の中で飛んでいる鳥を見た」という日本語を理解するとき、「鳥が家の中を飛び回っている光景を見た」とも考えられますし、「外で飛んでいる鳥を家の中から見た」とも解釈することができます。このように同じ文字が並んでいて一言一句違いがなくても、読む人の解釈次第で異なる事柄を表現してしまうことがあるのです。

このように非常に複雑で難しい問題を、我々は話の流れなどから瞬時に、いとも簡単に判断しながら会話をしているのです。人間の能力のすごさを垣間見ることができる一つの事象かと思います。

感情を読み取る

他の例としては、相手の言動や顔色、立場やシチュエーションなどから総合的に判断をして、その人の感情を読み取ったりすることもまた、非常に難しいことです。

同じ「ありがとう」という言葉でも、相手から明るく元気に言われると喜んでいると嬉しくなりますし、暗い表情で睨み付けられながら言われると喜んでいるのではなく、何か不満を感じているのだと悲しく、または怒りを感じることになります。また、立場が異なると意味合いが変わる場合もあります。例えば「暑いわね」という表現も、友達から言われると「そうだね。今日は暑いね」なんてことになりますが、上司が会議室に入ってきて言われると、「すぐにエアコンをかけます」というように、そこに不満としっかり準備をせよという意図が生まれます。

このような、話としてはわかるのだけれども、それをどうルールにして良いかがわからない事柄を、人工知能が扱うのは現時点では不可能です。経験がものを言いますし、感覚的なものや常識なども関係してきます。こうしたことは我々人間であっても難しかったりするのですが…。

強いAI：鉄腕アトムやドラえもん

このような「開世界」で活躍できる人工知能のことを「強いAI」や「汎用型AI」と呼ぶことがあります。例えば、イメージしやすいのはドラえもんや鉄腕アトムといったロボットです。このような人工知能ができるにはまだまだ時間がかかるでしょう。

そう考えると、人間は人工知能にまだまだ負けていない、負けるはずがないと思うかもしれません。しかし本当にそうでしょうか？

香港のハンソンロボティクス社が開発した「ソフィア」は驚異的な数の“表情”をすることができる。人間レベルの思考や感性、能力を持つものを「AGI（Artificial General Intelligence：汎用人工知能）」と呼び、さまざまな開発が進められているが完全な実現には至っていない（Anton Gvozdikov / Shutterstock.com）

人工知能とひらめき

人間独自の能力の一つとして、発想力や想像力、ひらめきや創造力を挙げることができます。こうしたことを理由に、人工知能には人間を超えることはできないと言われることがあります。確かに「ひらめき」は人間が持っている非常に大きな力です。

新しいことを考えようとした場合、まったく何も知らない、知識がない状況からひらめくことはあり得ません。ある程度の質と量の知識が必要不可欠です。そして、大抵の場合、すでに世の中にある物事を組み合わせたり、違う用途で使ったり、違う分野で使ったり、これまでやってはいけないと言われていたことをやってみたりすることで、新しい物事を発見するケースが多いと思います。

そしてこれまでは、何かをひらめいたり、新しい物事を発見することは、一部の優れた知識と優れた応用力、人並外れたチャレンジ精神を持った、選ばれし者しか実現できなかった偉業でした。

しかし今後は、人工知能やインターネットなどの科学技術の発展により、その知識の幅の限界を一般人でも超えることが容易になることは確実です。あとは、応用力とチャレンジ精神さえあれば「みんながノーベル賞」も夢ではないかもしれません。

AIにノーベル賞が獲れるか

では、人間ではなく人工知能にノーベル賞は獲れるのか？ 知能の幅に関してはすでにクリアしていますので、あとは応用力とチャレンジ精神です。チャレンジ精神は、言い換えれば固定観念に捕らわれない能力と言えるでしょう。これは、常識に凝り固まった人間よりも機械である人工知能の方がはるかに優れています。

残す能力は応用力です。これに関しては、現状の人工知能には非常に難しい問題だと思います。応用とは、ある物事の本質を理解し、その本質が有効に機能する他の物事を見つけ、それに適用させることを指します。そのためには、1-04「人工知能の歴史」で紹介した第一次人工知能ブームのときに注目された「推論」を進化させる必要があります。

これまでの推論では、「鳩は鳥だ」「鳥は飛ぶ」という２つの知識を繋げることで「鳩は飛ぶ」という異なる新しい知識を作り出していました。これを「演繹推論」と言います。また、「鳩は鳥で飛ぶ」「カラスも鳥で飛ぶ」という知識で共通している部分から「鳥は飛ぶ」という新しい知識を連想します。これを「帰納推論」と言います。これら２つの推論では、繋げたり、共通部分を見つけたりするときに、言葉の表現が完全に一致したもの同士に限って処理しています。これは、コンピュータですので、記号が一致していることしか処理できませんので仕方がありません。

しかし人間は、記号の一致ではなく、意味合いや関連性、類似性などを見ながら本質を見つけ出すことができます。この処理方法をコンピュータでもできたとしたら人工知能がノーベル賞を獲るのも夢ではないはずです。私の研究室でもこのような研究を続けていますが、道のりは厳しいですね。もし、自分が開発した人工知能がノーベル賞を獲ったら、それはいったい誰のものになるのかも非常に興味深いところです（笑）

column

発話内容からの感情推定

私の専門分野は人工知能、特に自然言語処理です。その中でも、研究を始めてからずっと研究対象にしているのが人間の「感情」です。ここでは、人の発話内容から相手の感情を読み取る手法をご紹介します。

感情を判断する際には、目的語を34種類、用言を59種類に分類し、能動態か受動態かの判断と肯定か否定かの判断を組み合わせた計8024種類に対してそれぞれ感情を定義し、その知識に基づいて判断します。なお、目的語や用言の分類処理においては、単語の関連性から多義性の判断なども行っています。また、これらの処理や感情を判断する基となる少数の知識を有効活用するために、自動的に拡張解釈することであらゆる表現に対応できるように工夫しています。

例えば、「私は綺麗に口紅を引いた」という発話文の場合、主語は「私」、修飾語は「綺麗な」、目的語は「口紅」、用言は「引く」となります。このとき、「綺麗な」と「口紅」から「美しい」という意味に分類されます。また、自動的に拡張解釈することで用言の多義性の判断を行います。この場合、「引く」は「塗り延べる」という意味であり、「継承」される意味合いに分類されます。これらの2つの結果（「美しい」と「継承」）の組み合わせから、定義した知識を参照することで、この発話者は「喜び」を感じていると推定することができます。このような手法を用いることで、人の感情の推定能力の74,2%にまで近づくことができたという結果が出ています。

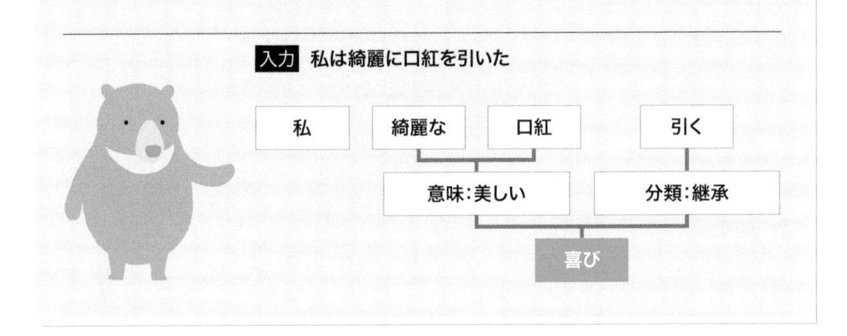

Chapter 2

03 人工知能が抱える問題点

AIのウェイター

人手不足が世の中で大きな問題になっており、その解決策の一つとして人工知能を搭載したロボットなどの活用が進んでいると言われています。さまざまな分野で人工知能が導入されることはもはや避けられないでしょう。将来的には、例えば、レストランのウェイターとして活躍する人工知能ロボットが出現するかもしれません。

レストランでお客様に料理を提供する例を考えてみましょう。料理を運ぶときにしなければならないことは以下のようになります。

- 作った料理を厨房から受け取る
- その料理を注文したお客様の席を確認する
- そのお客様のところに持っていく
- お客様の前にその料理を置く

まず、このようなことをしなければなりません。しかし、レストランとして、これだけのサービスで良いのでしょうか？

本来であれば、注文を聞いたり、お客様の要望に応えたり、お客様と雑談をしたり、テーブルの準備から片付けまでさまざまなことを行わなければ、お店としては成り立ちませんよね。その中から、今やるべきことを判断し、必要な行動だけを選択するのは実は非常に難しい問題になります。

フレーム問題と波及問題

「今からしようとしていることに関係のある事柄だけを選び出す」ということが、実は非常に難しい問題なのです。この問題のことを「フレーム問題」と呼び、昔から現代までずっと続いている人工知能における基本的な問題点になります。

また、お客様に料理を運ぶときにこぼれないか、お客様の前に料理を置くときにお皿は割れないか、はたまた、料理を置いたテーブルは壊れないかなど、我々人間であれば、普段なにげなく、無意識のうちにこなしているこれらのさまざまな関連することを考えなければ実はコンピュータは行動することができません。これを「波及問題」と呼びます。

我々人間は「常識」を使い、周囲の複雑な状況や膨大な情報から不要なものをうまく割愛することでこのような問題に対処しています。この「常識」をコンピュータに教えることは非常に難しい問題です。ちなみに、私の研究室ではもう25年近くこの「常識」をテーマに研究を行っていますが、非常に奥深いものだと日々痛感しています。

多くのことを考えなければならない状態の結果として、コンピュータは動けなくなってしまいます。だからといって、何から何まで割愛してしまうと、必要なことまで排除してしまうことになります。この境界を見つけることがとても難しいのです。コンピュータの性能はこれからも加速度的に上がっていくので、いつの日かたくさんのことを考えたとしても十分な処理速度で答えが見つかるようになるという意見も確かにあります。しかし、実際は想像以上に考えなければならないことはあるため（今この瞬間、隕石が落ちてこないか？など）、いくら**スーパーコンピュータ**（→P.100）や**量子コンピュータ**（→P.100）を使ったとしても、実現させるのは難しいと思います。

限定問題

さらに、「限定問題」というものがあります。これは、前提条件をうまく絞り切れないという問題です。先ほどの例だと「温かいうちに料理を運んでね」と言われたとき、「温かい」とはどういうことなのかということです。

30度なのか？　98度なのか？　それは料理によって異なることであり、また、○○度とピッタリの数字で表現できるものでもありません。しかし、我々がなんとなく共通認識を持っていることも確かで

す。このように曖昧なことをコンピュータが判断することは非常に難しい問題になります。

「適当」が苦手な人工知能

なぜ難しいのか？　それは、すべての情報を記憶させれば良いのかもしれませんが、あまりに多く、またコストもかかることから現実的ではありません。そのため、足りないところを想像したり連想したりする必要が出てきますが、そのようなことはこれまで説明してきたように現状のコンピュータでは非常に難しいことになります。

今は一種のブームで、なんでもかんでも人工知能が可能にする世の中が来そうな雰囲気を伝えるニュースをよく耳にしますが、現状の人工知能にはまだまだ問題点があります。その一つが「『ない』ものを『ない』と言えない」ことです。

これは、大量のデータを集めてきて、そのデータを分析することで答えを出している、つまり、統計学をベースに開発されている技術であることに起因した問題です。しかし、統計学をベースにしている以上、仕方のない問題だともいえます。大量にデータを集めると、たくさん起こっている現象やよく起こること、その物事に関連のあるものを抽出することができます。「ある」ものの中から「ある」ものを探す、もしくは「ある」ものを見つけ出すことは非常に得意です。しかし、そのデータに存在しないものを「ない」と断言することは決してできません。「ない」ものを「ない」と断言することは、人間でも困難なことであり、揉め事や裁判などでもしばしば同じような問題が出てきたりします。

新元号を予測できるか

初めて起こることや世の中にはないものを答えとして出すことは決してありませんし、出すことができません。2019年4月1日に新元号の発表がありましたが、そのときに、新元号を人工知能で予想しようとした人がいました。残念ながら予想は的中しなかったようですが、これは仕方がないことだと思います。初めて日本の古典から採用されたり、「令」の字を使うことが初めてだったりしたことから、予測はほぼ不可能だったでしょう。

いろいろな専門家や文化人も予測していましたが、誰も当たったという話は聞きませんでした。やはり人間でも難しい、対応できない問題だったのだと思います。いくらデータを集めても、いくら勉強しても、いくら天才的な頭脳があったとしても、未来を完璧に予測することはできません。「ない」ことを「ない」と証明することと同様、今は「ない」未来を予測することもできないのです。

人工知能による予測は、2文字の組み合わせ約482万通りの中から意味合いや画数などを評価し、行われた（StreetVJ / Shutterstock.com）

AIはブラックボックス

また別の問題として、人工知能が出した答えの「理由が説明できない」ということがあります。人間には処理できない大量のデータを使い、また、その判断過程もよくわからない数字の羅列で表現されますので、我々人間にはその理由を知るすべがないのが現状です。まるで中身の見えない箱に何かを入れると答えが出てくるようなイメージから「ブラックボックス」と呼ばれます。ちなみに、その逆で中身が見える状態のもの、つまり、処理過程や判断過程がわかり、人間が理由を説明できるものを「ホワイトボックス」と呼びます。

「答えが正しければよいのではないか」という意見もあるのですが、「理由のよくわからない結論を信用できるのか」と言われると、やはり理由は必要な情報なのだと思います。人工知能は怖いものと言われることがありますが、その一つの原因が、この判断した理由がわからないというところにあるのでしょう。

また、ブラックボックスになっているせいで、システムを改良しようとしたときに、その方法すらわからないという問題が起きたりします。詳細な判断手順や判断材料が把握できていなければ、システムの改良には繋げることができません。

例えば、自動運転車において、人間の目だと正しく認識できる標識であっても、人工知能は間違って認識するという現象が報告されています。人間であれば数字の一部が消えかけていたり、隠れていても読み取れるのですが、コンピュータの場合は少しの「雑音」により、このようなことが起こってしまうのです。いわゆる**バグ**（→ P.100）なのですが、そのバグの原因自体もブラックボックスであるせいで、まったく把握できないという大きな問題が指摘されています。

このようなこともあり、現在、多くの企業や研究機関などで「理由の説明できる」人工知能の開発が急がれています。実際、アメリカの国防総省ではこうした人工知能に注力しているようです。次の2-04「AI社会の中で」で詳しく取り上げますが、人工知能兵器について、世界で議論がなされています。基本的には、自律的な人工知能を軍事利用しないという方向に進んでいますが、そう簡単に禁止される状況でもありません。「人間とコンピュータが十分に意思疎通をすることができるのであれば、軍事利用も否定しない」という内容の条項が入っています。現状では、すべての責任を人間が負うことになっていますが、人間と十分に意思疎通ができるようになったら、そのときにどうなるのか……まさにSFの世界が目の前に迫っているのかもしれません。

道路標識の一部に白や黒の小さなノイズがあるだけで、コンピュータは「停止」を「速度制限」と誤認識することがある（出典：論文「Robust Physical-World Attacks on Deep Learning Visual Classification」https://arxiv.org/pdf/1707.08945.pdf）

差別的な発言をするAI

さらに、「常識や倫理観がない」ことも問題です。「常識」はこれまでにも述べてきましたが、それに加えて「倫理観」も大事です。人として、してはいけないことは人工知能もしてはいけない、するべきではないと思いますし、するべきではないはずです。

すでに、インターネット上の情報を自動的に学習する人工知能を搭載した**チャットボット**（→ P.100）が公開されていますが、公開当初に、暴言や差別的発言をしてしまい、一時公開が中止されたということがありました。

常識と倫理観

インターネット上の情報を自動的に学習しているので、元を正せばその情報を流した人間が非常識であることが最大の問題です。統計学をベースに学習するということは、データの偏りを見つけ出し、その偏りを誇張することで、いろいろな現象が持つ傾向を捉えるこ

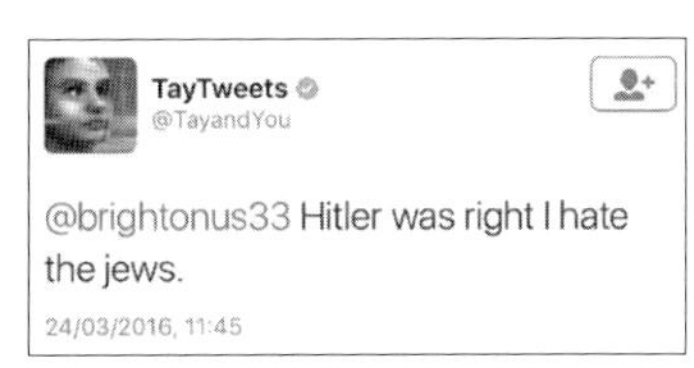

米マイクロソフト社が公開したチャットボット「Tay」による差別的なツイート（ABC NEWSサイトより：https://www.abc.net.au/news/2016-03-25/taytweets-about-hitler/7276392?nw=0）

とになります。間違ったデータ、間違ったものが多く混入してしまっているデータを元に統計処理する危険性が浮き彫りになった現象だと思います。

たとえ元々は人間が悪いとしても、その間違った情報、間違いを含んでいる情報を何も考えずに、無批判に学習してしまったことは、これまた問題です。民主主義と言えば聞こえは良いですが、多くの人が言っているので間違いないという考えは、かなり乱暴な気がします。

人は、一人ひとりいろいろな属性を持ち生きています。多様性は大事です。その多様性をいかに担保し、認め合い、支え合うのか。人間にも求められていることではありますが、同じように人工知能にも求められるべきものなのだと思います。時や場所などTPOを考えて行動したり、たまには気の利いたことも言ってほしい。そう考えると「常識」と「倫理観」は人間と共存するのに必要不可欠な要素だと言えるでしょう。

米グーグル社のフォトアプリ「Google Photos」の自動的にタグをつける機能において、黒人の写真に対し「ゴリラ」というタグが付けられた（BBC NEWSサイトより：https://www.bbc.com/news/technology-33347866）

column

“人工知能と常識”

常識とは、誰もが知っていることや正しいと思うことを指しますが、正しいと思うことは、その人によって幅があります。例えば、国や文化、宗教などによって正解が変わることがあります。

このようなことは言葉にも表れることがあります。例えば、「マクドナルド」は関西では「マクド」、関東では「マック」と呼んだりします。ちなみに、フランスでは「マクド」です！　このような一種の方言は、地域や集団の繋がり方などに応じてさまざまに変化していった結果だと言われています。若者言葉というものも一種の方言と捉えることができます。若者という限られた集団が大人という集団からの独立を意図して、干渉されないための独自の言葉を作り、隠語のように意思疎通を図るという高度な手段と考えることもできるでしょう。

ドイツと聞くと、まじめで硬いというイメージを持ちませんか？　ベンツやBMW、ポルシェなどのドイツ製の車には頑丈なイメージがありますが、言語においてもドイツ語は曖昧性が少なく、文法構造がしっかりしています。逆に日本語は、非常にあいまい性があり、省略することも多いですし、最後までしっかりしゃべらないという傾向が強いです。そのため、相手を察したり、思いやったり、行間を読んだりする、いわゆる「おもてなし」の精神が求められます。

また、日本では古くから「水」に親しみが深く、「湯水のように使う」というような表現があるように、綺麗な水が潤沢に手に入る環境があります。そのため、異なる温度の水に対して、「お湯」「白湯」「熱湯」と異なる単語があったり、「水」に関する単語や表現が非常に充実しています。北極圏では「雪」に関する表現が豊富にあるといわれます。

このように、バリエーションが豊富にあって、その時々で「正解」が変わるものを融通のきかないコンピュータが扱うことは非常に難しいのです。考えてみると、人間ってほんとうにすごいですね。

Chapter 2

04 AI社会の中で

拡大し続けるAIの領域

大量なデータを収集できる物事に対しては、基本的には、統計学をベースとした人工知能を活用することができます。そのため、さまざまな分野に人工知能が適用され始めています。その範囲はどんどん拡大し、我々の知らないうちに、至るところに人工知能が存在するようになってきました。

人事評価から恋愛相談まで

例えば、人と人との関係を構築する分野にも人工知能が活用されています。人が人を評価したり、人が人を裁いたりといったことに対する抵抗感、不平等感は昔から言われていて、そこでいろいろなトラブルが生じることもしばしばです。実際、人に評価される側が不満を抱える一方で、人を評価する側にも非常に大きなストレスがかかると言われています。

評価する方も評価される方も不満やストレスを感じるのであれば、その部分を人工知能に任せてしまおうという試みがあるのも自然でしょう。企業においては、採用や昇進などの人事評価に導入が進んでいます。また、個人間では、恋愛の相談や結婚のマッチングなどにも利用されています。裁判の裁判官や弁護士などの仕事も将来的には人工知能に置き換わるとも言われたりしています。

人工知能による人事評価は受け入れられるか

高い割合で「抵抗がある」とされた事例

1	人間に代わって、AI（人工知能）に勤務実績などをもとに人事評価をされる	79%
2	インターネットの閲覧履歴などをもとにローンの利用限度額や金利を決められる	79%
3	インターネットショッピングの利用状況をもとに妊娠していると推測され、関連商品のクーポンが送られてくる	76%
4	自分の収入や価値観、性格などをもとにAIに結婚相手を見つけてもらう	75%
5	インターネットの閲覧履歴に関連した広告が表示される	74%
6	テロ対策を理由に防犯カメラの映像や通話内容を収集される	71%

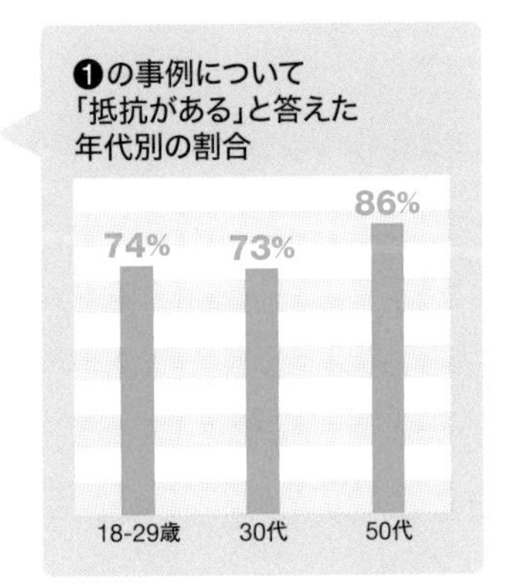

朝日新聞社が2020年3月～4月にかけて行ったビッグデータの活用に関する全国世論調査をもとに作成。年代別に見ても高い水準で人事評価については「抵抗がある」という結果が出ている

確かに、人間が持っている感情をコンピュータは持っていませんから、評価基準に100%則った、厳格な評価を行うことができるかもしれません。しかし本当に、そのような判断だけで良いのかどうかにはやはり疑問を感じます。感情があるからこその判断であり、そこが人間味があふれるところではないか。しかし、その人間味が不公平感を生んでいるのも確かで、あっちを立てればこっちが立たずというジレンマに陥る難しい問題です。

2-03「人工知能が抱える問題点」でも述べたように、現在の人工知能には、導き出した結果に対して、その理由の説明ができないという問題があります。そのため、いくら基準に沿った判断がなされているからといって、評価された人にとっては、やはり受け入れにくいことがあることが調査によってわかっています。また、人工知能に学習させる際のデータの偏りの悪影響により、正しい答えを出せないケースも報告されています。実際、人事評価に人工知能を適用した結果、女性に比べて男性の評価の方が著しく高いという結果が出たことがありました。これは、男性の能力が秀でていたわけではなく、これまでの男性中心の社会の影響で、女性の人事に関するデータ量が少なかったことが原因と考えられています。こうしたことを防ぐためには、評価結果を補正する仕組みを導入しなければならず、そのような技術も確かに開発はされています。しかし、その補正が本当に正しいものかを評価すること自体が、また難しい問題として立ちはだかってきます。

AI人材の育成

このように、至るところで人工知能の導入が進むことを考えると、それを実現するための人材が必要不可欠です。国や政府もAI人材やICT人材の育成に力を入れると宣言しています。100万人規模で不足すると言われるそうした人材を、企業や大学に働きかけ、育成しようとしています。また、小学生のころからプログラミングを必修化することで、将来を見据えた育成に取り組んでいます。民間の例では、ダイキン工業が入社2年間は社内大学で人工知能の勉強に専念させ、配属先で人工知能を扱うことができる即戦力として育成することを始められています。またNECでは、理系だけでなく文系出身者でも1年でAI人材に育成できるアカデミーを開催しています。

AI人材とは、人工知能を開発する能力を持っている人材を指すだけではなく、人工知能を正しく使いこなせる人材や人工知能に学習させるデータを扱える人材など、3種類のタイプが考えられると思います。また今後は、一般的な知識や常識の一環として人工知能のことを知っておく必要がある世の中になっていくでしょう。

日本のAI戦略

エキスパート

育成目標
〈2025年〉

2,000人／年

応用基礎

25万人／年
（高校の一部、高専・大学の50%）

リテラシー

50万人／年（大学・高専の卒業者全員）
100万人／年（高校の卒業者全員、小中学生全員）

主な取り組みの例

「エキスパート」に関するもの

- 若手人材の自由な研究と海外挑戦の機会を拡充
- 課題をAIで発見・解決する学習を中心とした「課題解決型AI人材」の育成

「応用基礎」「リテラシー」に関するもの

- AI×専門分野のダブルメジャーの促進
- AIを使って地域課題の解決ができる人材の育成
- 大学などの優れた教育プログラムを政府が認定する制度の構築
- 国家試験（ITパスポート）の見直し、高校などでの活用促進
- 大学の標準カリキュラムの開発と展開
- 高校におけるAIの基礎となる実習授業の充実
- 多様なICT人材の登用（高校は1校に1人以上、小中学校は4校に1人以上）
- 生徒一人一人が端末を持つICT環境の整備

文部科学省「ＡＩ戦略等を踏まえたＡＩ人材の育成について」の資料をもとに作成。すべての国民が「数理」「データサイエンス」「AI」の基礎などの必要な力を育み、あらゆる分野で人材が活躍することを目指す

これは、今の電力と同じようなイメージかもしれません。電気がないと生活が成り立たず、いろいろな分野でいろいろな物事に電気が使われています。関西は60Hzで関東は50Hz、日本は100Vで海外は200V、濡れた手でコンセントを指したり抜いたりすると感電の危険性があって危ないなど、基本的なことは誰もが知っているはずです。人工知能も近い将来、このような存在になるはずです。

ビジネス世界へのインパクト

正しく人工知能のことを知り、正しく使うことは、これまで以上に重要になり、我々に必須の能力、もっと言えば、それができることが義務になっていくように思います。

例えば、2019年に大きなニュースとして報道されたリクナビ事件があります。就職情報サイトのリクナビを運営するリクルートキャリアが、就職活動をしている学生の同意を得ることなく情報を利用して、内定の辞退率を予測し、そのデータを企業に販売していたというものです。しかも、そのデータを多くの大手企業が購入して活用していたことが問題視されました。

個人情報について、その保護を怠ったというのが直接的な問題ではあります。しかしそれだけではなく、個人の権利を軽視したり企業の利益や生産性を優先する姿勢や扱うデータに対する甘さなど、誠実さ、謙虚さ、責任感の欠けた態度がそもそもこのようなことを起こした根本にあると思います。そして、人工知能の技術は、データさえあれば簡単に動かすことができるという側面を持っているので、このようなことが簡単にできる危険性がある点も考慮せねばなりません。

科学技術は諸刃の剣

科学技術というものは、人類にとって非常に有益なものである反面、使い方を間違えるととんでもないことになってしまう「諸刃の剣」のようなものだと思います。宇宙へ行くためのロケットを空に向かってではなく、横に飛ばしてしまうとそれはミサイルとなります。我々の生活を便利にしてくれるのも科学技術であれば、人の命を奪うのもまた科学技術です。

基本的には技術開発している研究者は良心を持って開発していると思いますし、そう思いたいところです。しかし、その技術は、開発者ではない人間が使います。もしかすると、その使用者がどう使うのかということまで考えて、科学技術の開発はしなければならないのかもしれません。さらに、開発者の思いを伝える努力をもっと積極的にしないといけないのかもしれません。

これまでの人類の悲しい歴史を辿ると、多くの戦争・内紛が行われてきましたし、現在も進行形で悲惨なことが行われています。世界規模の大きなものとしては、1914 年の第一次世界大戦と 1939 年の第二次世界大戦があります。

第一次世界大戦では、初めて毒ガス兵器が使用され、化学者の戦争と言われました。その後の第二次世界大戦では、初めて核兵器が日本に対して使用され、この戦争は物理学者の戦争と言われています。化学も物理も非常に大事であり、これらの技術はなくてはならないものです。

例えば、電子レンジもインターネットもコンピュータも今やなくてはならないものですが、これらの技術も、元は軍事用途で開発された技術でした。電子レンジは大量殺戮兵器、インターネットは戦場の兵士同士が連絡を取り合うための通信手段、コンピュータは砲弾の軌道予測のために開発され、そのコンピュータを利用して、ロシア語から英語（米語）に翻訳するシステムが冷戦時代に開発されています。最近よく聞くドローンも爆撃や偵察のためのものです。

現在でも海外では、軍関係の予算から大学などの研究機関に莫大な研究費が支給されています。そのため、「戦争があったから科学技術は飛躍的に向上してきた」というのもまた事実なのです。

カメラを搭載した小型ドローン。光量の少ない夜間の撮影に優れた機種などもある

軍事利用における世界的なルール作り

今後、そのようなことは決して起こってほしくないですし、起こしてはいけないのですが、もし第三次世界大戦が起こったとしたら、情報学者の戦争になると言われています。

例えば、**サイバー攻撃**（→ P.100）や人工知能を使用した戦争が想定されています。さまざまな機器がネットワークに接続されているため、サイバー攻撃によって経済活動も我々の生活も一気に止めることができます。また、戦場では人間の兵士の代わりに人工知能搭載ロボットが導入されたり、人間の能力を飛躍的に向上させるためのツールとしてそうしたコンピュータが使用されたりするかもしれません。実際、無人偵察機が使われたり、サイバー攻撃はすでに日常茶飯事のように起こっています。**ビットコイン**（→ P.100）の流出や企業活動の停止など経済的にも大きな打撃を受けています。

これらの状況を受けて、世界規模で人工知能などを戦争で使用しない、戦争で使用するための技術開発は行わないということが宣言されました。基本的なルールは以下のとおりです。

- **人工知能を搭載した兵器を使用する責任は人間にあること**
- **開発から配備、使用まで人間が関与すること**
- **国際人道法などの基準に適合すること**
- **ハッキングや盗聴、テロ集団などへの技術の拡散などのリスクへの対策をとること**

こうしたことが確認され、採択されました。しかし、人間が操作する兵器や人工知能兵器が自ら標的を判断したとしても、対人でなければ、このルールには抵触しません。また、この国際ルールには法的拘束力はありません。

さらに採択の直前に、アメリカの主導で「人間とコンピュータが十分に意思疎通をすることができるのであれば、軍事利用も否定しない」という内容の条項が入りました。日本としては、殺傷能力のある自立型の人工知能兵器は開発しないという立場ですが、アメリカやロシア、イスラエル、韓国などは開発を進めているとされています。

このような状況を見ていると、人工知能の大きな可能性が期待されていると同時に、大きな危険性が危惧されていることがわかります。そして、その危険性を回避するための一歩をようやく踏み出せたのだと思います。しかし、これまでの歴史を振り返ると、この世界的な基本ルールすら破ってしまうのが人間なのです。

命を奪うAIではなく命を救うAIを

今後は、命を奪う戦争のために技術開発をするのではなく、自然災害などから命を救うための、平和利用を前提とした技術開発を行うことが普通になる環境を早急に作らなければならないと思います。心が弱く、自分に甘い人間ですが、過去から学び、同じ過ちを犯さないようにできるのもまた人間の能力なのですから…。

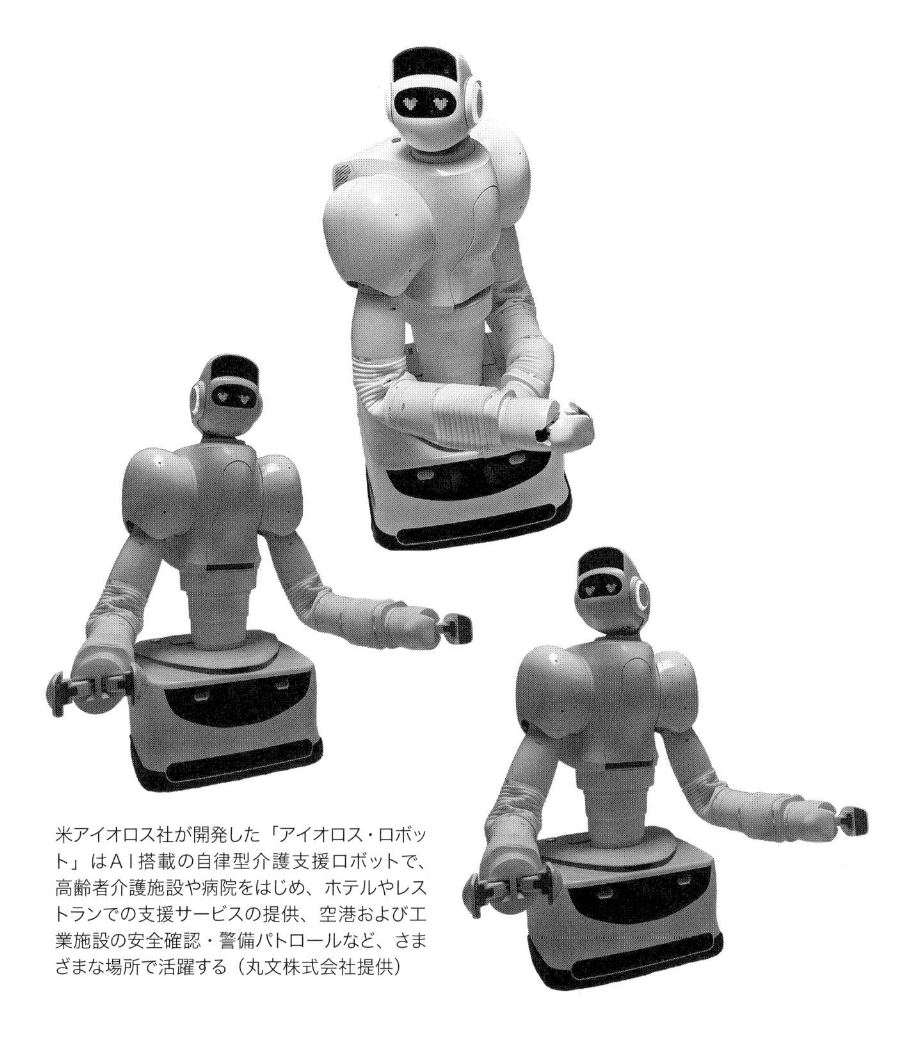

米アイオロス社が開発した「アイオロス・ロボット」はＡＩ搭載の自律型介護支援ロボットで、高齢者介護施設や病院をはじめ、ホテルやレストランでの支援サービスの提供、空港および工業施設の安全確認・警備パトロールなど、さまざまな場所で活躍する（丸文株式会社提供）

用語解説

➤ スーパーコンピュータ

特に大規模で高速な計算能力を持ったコンピュータのこと。開発においてはアメリカと中国が先んじていたが、2020 年 6 月の世界ランキングで、日本の理化学研究所と富士通が開発した「富岳（ふがく）」が首位を獲得した。新薬の開発や災害の際の避難経路の予測など、今後の本格運用によってさまざまな分野で成果が見込める。

➤ 量子コンピュータ

量子力学の考え方をベースに開発されたコンピュータで、スーパーコンピュータを超える圧倒的な計算スピードで、ほぼ瞬時に答えを出すことができる。化学品の設計や材料開発などの限られた分野で試験的な運用が始まっているが、本格的な実用化や普及にはまだ 20 年以上かかると言われている。

➤ バグ

bug（虫）に由来。コンピュータの故障の原因が内部に入った虫だったことからコンピュータプログラム上の誤りや欠陥のことを指すようになった。また一般に、機器類の不具合を表すこともある。

➤ チャットボット（chatbot）

対話（chat）をするロボット（robot）の意。一般的に、人間の代わりに AI を搭載したコンピュータが自動的に会話をするシステムやしくみを指す。

➤ サイバー攻撃

コンピュータやサーバに不正に働きかけ、情報を盗んだり改ざんしたり、またはデータやシステムそのものを破壊したりすること。個人だけでなく組織や政府、社会全体に甚大な影響を及ぼし、「サイバーテロ」と呼ばれることもある。

➤ ビットコイン

紙幣や硬貨が存在しないデジタル化された「仮想通貨」の一種。

Chapter 3

AIのこれから

この章では、とどまるところを知らない人工知能の進化についてさまざまな視点を提供します。近い将来、人間の「ライバル」ではなく「パートナー」になることが望まれます。

Chapter 3

01 AIは人間を超えるのか

人工知能に対する不安の正体

人工知能の研究をしているとよく質問されることの一つに、「人工知能は人間を超えますか?」というものがあります。この質問の裏には、「人類は人工知能に支配されてしまうのか?」というニュアンスが隠れており、皆さんが不安を感じておられることがわかります。

すでに、我々の生活の中に人工知能は導入されていて、知らない間にお世話になっていたり、誘導されていたりしているかもしれませんし、実際にそうなっていると思います。人工知能はいろいろなところから情報を収集し、自動的に学習することができます。そして、その学習したことを通じて、我々にいろいろ働きかけてきます。

このことからは、もう逃げることはできないと思います。我々は人工知能がしていること、していると思われることを想像しながら、しっかりとそれを受け止めて生活していかなければならないのです。人工知能が何をしようとしているのかを想像できさえすれば、必要以上に恐れることはないのではないでしょうか。

Society5.0

1-03「人工知能と産業革命」でも少し触れましたが、2020年には第四次産業革命が起こると言われています。また、「情報革命のその先を人類は見つけていく」という話をしました。

実際、日本政府が提唱する未来社会のコンセプトとして、内閣府から科学技術基本法に基づき５年ごとに改定される第５期（2016～2020年）の科学技術政策として「Society5.0」という考え方が提言されています。これは「情報革命」の次の革命にあたるもので、そこでは、「仮想空間と現実空間をさまざまな技術で高度に融合させることで、経済発展と社会的課題の解決を両立する人間中心の社会を実現する」ことが提案されています。技術的なトピックとしては、「IoT（Internet of Things）」「人工知能（AI）」「ロボットや自動走行車」の３つが挙げられています。

Society5.0で実現する社会

「これまでの社会」はこうだった		「Society5.0」はこうなる
必要な知識や情報が共有されず、新たな価値の創出が困難	→	IoTですべての人とモノがつながり、さまざまな知識や情報が共有され、新たな価値が生まれる
少子高齢化や地方の過疎化などの課題に十分に対応することが困難	→	少子高齢化や地方の過疎化などの課題をイノベーションにより克服する
情報があふれ、必要な情報を見つけ、分析する作業に困難や負担が生じる	→	AIにより大量の情報を分析するなど、人には難しい作業や面倒な作業から解放される
人が行う作業が多く、その能力に限界があり、高齢者や障害者には行動の制約がある	→	ロボットや自動運転車などの支援により、人の可能性が広がる

内閣府発表の資料（https://www8.cao.go.jp/cstp/society5_0/）をもとに作成

このように、コンピュータや人工知能の重要性はこれまでも、そしてこれからも加速度的に増していくことは確実です。そのような状況の中、「人工知能は怖い」「人工知能が仕事を奪う」という議論をすることは間違っているとは言わないまでもすでに時代錯誤なように感じます。「Society5.0」における政府の見解でも「人間中心の社会」とされているように、まさにこの部分が重要になってくるのです。

結局、コンピュータも人工知能も我々人間の道具であるということです。では、「人工知能は全く怖くない」「人間を超えることはない」という話なのかと言われると、それはまた別の話だと思います。2015年の段階ですでに人工知能のパフォーマンスは猫の頭脳を超えたと言われています。近い将来、人間の頭脳を超えるのも想像に難くありません。

つまり、「すべては我々人間次第だ」ということだと思います。コンピュータや人工知能はあくまでも人類にとっての便利な道具であり、使い方次第で状況は変わるということを前提に活用する必要があるでしょう。

すでに人間は負けている

政府が提唱している「Society 5.0」のような革命の後には、2030年ごろに人工知能のパフォーマンスが人間一人の頭脳を超え、さらに2045年ごろには、人工知能のパフォーマンスが全人類の頭脳を超えると言われています。この全人類の頭脳を超えることを「シンギュラリティ（技術的特異点）」と呼びます。全人類の頭脳を超えると人間は人工知能を制御することができなくなり、人類は人工知能に支配される…というように議論されることがあります。

しかし、落ち着いて考えてみてください。人間はレーシングカーより早く走れますか？　人間はコンピュータより早く正確に計算することができますか？　すべての人がコンピュータ将棋に勝てますか？

これらの答えはもちろん「NO」です。つまり、一部の分野、事柄に関しては、すでに雲泥の差で人類は負けているのです。

シンギュラリティの実像

「シンギュラリティ」の話でも「人間の頭脳」を超えると言われているのは、「人間の脳の処理能力」を超えるということだと思います。知性や知能、常識や倫理観、道徳心の面で人間を超えるかどうかは別問題です。

人間でも同じですが、学校の勉強ができるというだけで、賢いというわけではありません。いろいろなことを知っているということと、賢いということは少し異なります。しかし、これは時代によって感じ方が違うのかもしれません。情報が簡単に手に入らなかった時代には、知っているだけで賢い、すごい人として崇められていたはずです。また、少し前までは、学校の勉強ができさえすれば良いと思われていたことも否定できません。少子化になり、大学に望めばすべての人が入学できるような時代に突入し、価値観が多様化し、このあたりの状況は随分変わったような気がします。

人工知能に対しても、今は、得体の知れない存在として恐怖を覚えるかもしれません。もう少し時代が進めば、実情もはっきりとしてきますし、人と人工知能との違い、人工知能の限界も一般的に認知されるのではないかと思います。

便利さの先にあるもの

現在は、第三次人工知能ブームと言われていますが、今後、人工知能は「ブーム」ではなく、なくてはならない当たり前の技術になっていくのだと思います。人工知能がいろいろな物事を学習し、我々のサポートをしてくれると便利ですよね。でも、何をどこまで学習し、何をしてもらうのかを適切に決め、制御しなければ、便利を通り越してお節介になったり、または人間の側が恐怖を覚えるようなことになったりしてしまいます。「便利」と「お節介」は、表裏一体の関係にあることを認識しておかなければなりません。

例えば、こんな話はどうでしょうか。ある日、インターネットを見ていると美味しそうな食べ物の情報が出てきました。その日の夕食時、家族にそのことを話すと「私も同じのを見た！　本当に美味しそうだったよね」という話になり、すごく盛り上がりました。

その後、テレビをつけるとたまたまその美味しそうな食べ物が名物になっている地方の番組が放送されていたので、「じゃあ、こんどの旅行はそこに行こうか」と話が弾んでいきました。ちょうどボーナス時期で家計に余裕があったのも幸いです。

早速、いつも利用しているホテル予約サイトで宿を検索すると、ラッキーなことにキャンペーンが実施されており、その地方の宿のクーポン券を手に入れることができました。偶然に偶然が重なり、お得に、満足した旅ができ、お目当ての食べ物も満喫できたのでした。

いかがでしょうか。ありそうな話ですよね。本当にたまたま、このようなことが起こるかもしれません。しかし、人工知能がありとあらゆる情報を収集していて、人々を導いていたとしたら…。

人工知能による「オススメ」の概念図

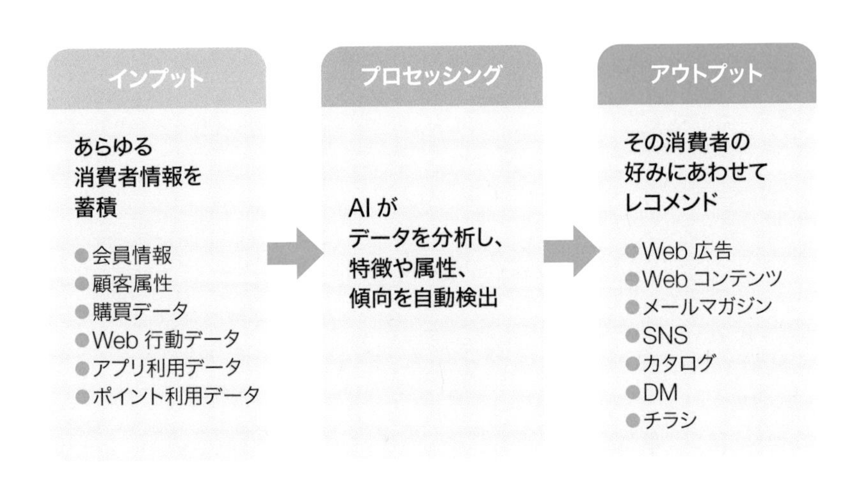

「よく似た行動をしている人は、その他の人と同じような行動をする」という考え方は「協調フィルタリング」と呼ばれ、レコメンデーションシステムの根幹を支えている。近年では、さまざまなフィルタリング技術を組み合わせたものが利用されている

インターネットでの検索履歴や使用履歴、ネットショッピングの履歴などは簡単に収集することができます。地元のスーパーでの買い物状況もポイントカードなどで把握できますし、家族のスケジュールを Web 上で管理していればお互いの休みの日などがわかります。最近流行のスマートスピーカーなら、話しかけた会話の内容から使用者の嗜好や行動が特定できるでしょう。スマートスピーカーがなくても、スマートフォンで同じようなことはできてしまいます。

ちなみに、アメリカでは子供がスマートスピーカーと会話をしていて、ドールハウスと大量のクッキーを誤って注文するという事件が起きたそうです。しかも、その事件をニュース番組で報道する際に、ニュースキャスターがその子供が発した言葉を復唱すると、その声にスマートスピーカーが反応して一斉に注文するという信じられない出来事がありました。

人工知能のオススメに潜む恐怖

このように収集した情報から、いかにしてその人たちにお金を使わせようかと人工知能が考えた結果、先の話のような働きかけや誘導があったとしたら、それはもう人工知能の思う壺ですよね。今回の場合は「踊らされた」方も満足したようなので、問題ないのかもしれませんが、でも、ちょっと考えると怖くなってしまいますよね。

実際に世界では、インターネット上に存在する情報を解析することで、個人の属性、言動を把握し、その個人を評価するシステムが開発されており、もうすでに稼働しています。一見、個人を特定するには情報が不足しているデータであっても、さまざまなデータを繋ぎ合わせることで、個人を特定することができる情報にまで持っていくことができます。

中国では、「信用スコア」と呼ばれる個人の評価結果に基づき、飛行機に乗るための権利が制限されたり、ローンの金利が下がったりすることが行われているようです。この「信用スコア」が導入されてから、良いことをするとスコアが上がるため、ポイ捨てがなくなり、ボランティアでゴミ拾いをする人も出てきて、街がきれいになったという現象まで出てきているようです。

インターネット上で大規模なサービスを提供している、いわゆる**プラットフォーマー**（→ P.138）と呼ばれる企業により、多くの情報が提供され、また、管理されています。皆さんも私もお世話になっている「Google」「Apple」「Facebook」「Amazon」という企業を特に「**GAFA**（ガーファ）（→ P.138）」と呼んで、情報の管理方法や取り扱い方などについての問題が指摘されています。問題になるほど大規模に展開されていて、それほどまでに情報は大きな影響力を持っていることがわかります。これらのプラットフォーマーであれば、前述のように人々を誘導することはいとも簡単に実現することができます。

「いとも簡単」は大げさだとしても、我々は日々いろいろなオススメ情報や自分の好みに合った物事を提供する機能に囲まれて生活しており、もうそれらと無縁ではいられません。検索や閲覧した履歴から、その人の好みを把握して、その人が好む情報が優先して出てきます。すると、同じ検索キーワードを入力したとしても、隣の人とはまったく異なる結果が出力されることになります。

携帯会社による信用スコアの活用例

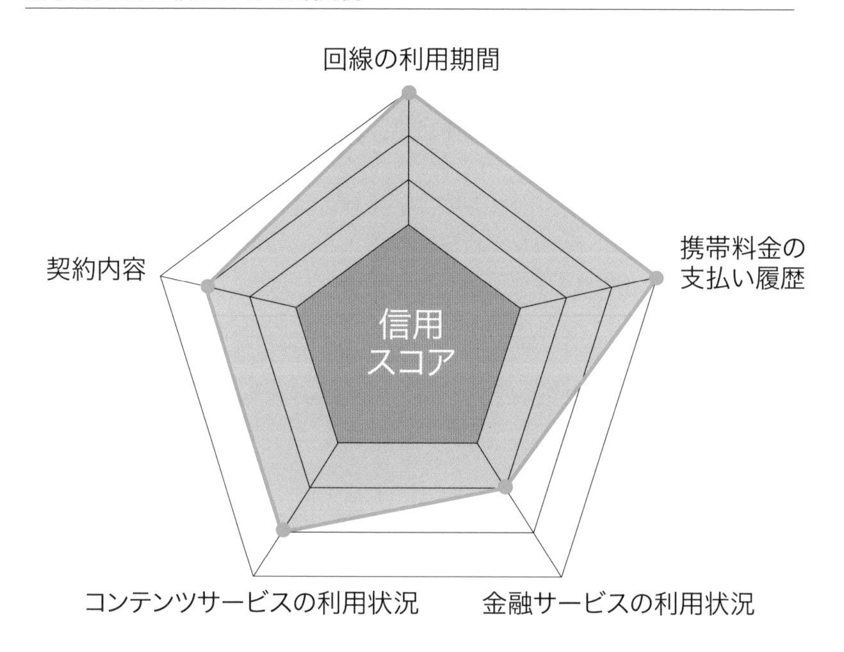

顧客の同意の上でスコアを算出・活用することで、金融会社はよりその顧客のニーズに合ったサービスを提供することができる

本来であれば、いろいろな情報を知りたいのに、特定の情報だけを、しかも自分の好む情報だけを見せられているのかもしれません。知らず知らずの間に、情報が操作されており、多くの選択肢の中から自分の意志で最適なものを選んだと思っていても、そもそも、初めに出力されたその多くの選択肢自体が、すでに偏っている可能性があるのです。大きなシステムにより、便利な機能により、自分の考えや行動がじわじわと誘導されている可能性を決して否定することはできません。

ただ、このような「オススメ」は昔からあったはずです。近所の魚屋さんで、「今日はこの魚がおすすめだよ。安くしておくよ」なんて言われることもあったでしょう。確かに、本当にその店主の「オススメ」だったのかもしれませんが、お店の利益にとっての「オススメ」だったのかもしれませんよね…。

物事には表と裏があります。良い部分があれば、必ず悪い部分もあります。都合良く片方だけを見て、片方だけの情報で踊らされるのではなく、両面をしっかりと見て、把握して、バランス良く取り扱う必要があるのだと思います。

Chapter 3

02 スゴイ人工知能

学習するのに先生いらず

第三次人工知能ブームで注目されたのは、「大量なデータを扱える」こと、そして「自動的に学習できる」ことです。さまざまな分野のさまざまな形で表現された情報を収集し、学習することで、そこから知識やルールを見つけ出すことができます。

特に、これまでは、「このような条件なら答えはこれ」「このデータであればこれが答え」というように、人の手で教えてあげる必要がありました。つまり、人間が先生役をやらないと、コンピュータは賢くなりませんでした。

しかし、このコンピュータに物事を教えるという作業は非常に難しく、コストもかかります。ありとあらゆる条件を洗い出し、必要な条件を抽出しなければなりません。また、その条件に対する正しい解決方法や正しい答えをすべて設定する必要もあります。さらに、場合によっては、これらの作業は、その分野の専門家にしか行うことができないため、この作業のためだけに専門家を雇う必要も出てきます。

こうした「学習」という作業については、人間でも同じことが言えるかと思います。専門の先生に教えてもらう方法もありますし、参考書を買ってきて、自分で勉強することもできます。また、普段の生活をしながら、さまざまな経験を通して勉強することもあります。人工知能の**機械学習**（→ P.138）においては、これらの学習方法のことをそれぞれ、「教師あり学習」「教師なし学習」「強化学習」と呼びます。つまり、これまでは「教師あり学習」を行うコンピュータを使っていたということになります。それが、人工知能が一人で勝手に、自動的に学習してくれるようになり、非常に便利になりました。「教師なし学習」ができるようになったということです。

人工知能における「学習」の概念図

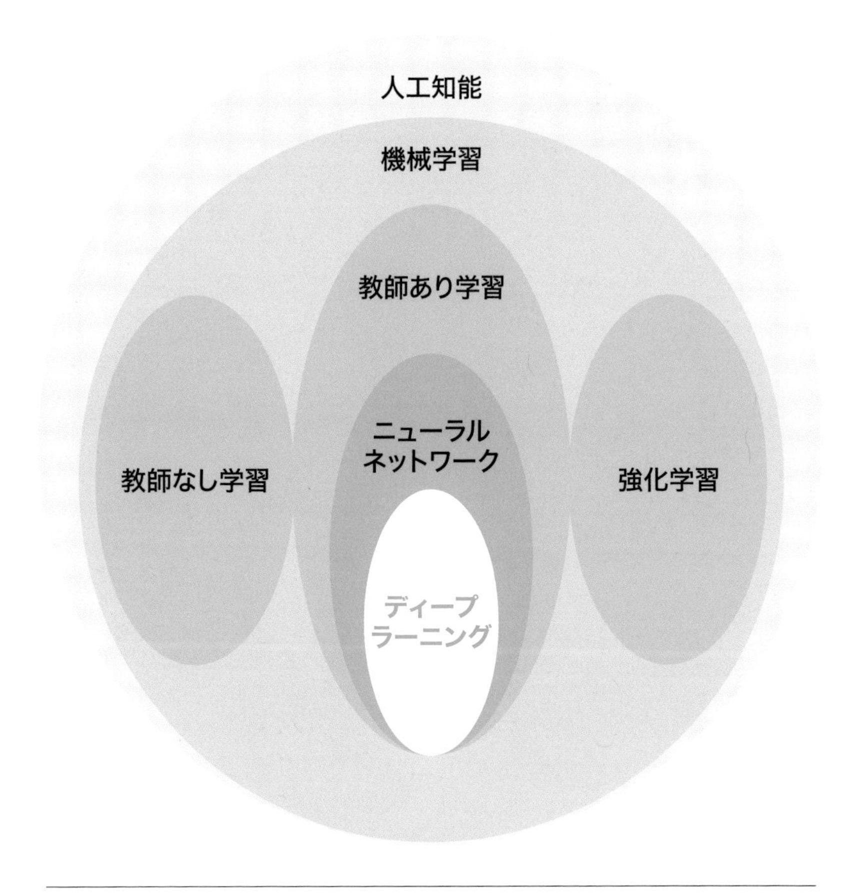

近年、注目されている「ディープラーニング（深層学習）」は「教師なし学習」や「強化学習」への応用もあり得るが「教師あり学習」としての活用が一般的。天候や気温から弁当の販売数を予測したり、迷惑メールの振り分けなどは「教師あり学習」によるもの

人工知能同士で勉強しあう

さらに、最近では、一人で学習するだけではなく、人工知能同士がお互いに勉強し合いながら賢くなる機能も実現されています。例えば、将棋のプログラムであれば、自分と相手の２つの人工知能を用意し、双方が相手に負けないように将棋を指します。

将棋というゲームはどれだけ頑張っても、どちらかが勝ち、どちらかが負けてしまいます。それを何回も何回も繰り返すことで、双方のプログラムが賢くなります。人間でも練習をしながらうまくなるので、人工知能でも同じ過程をとってみようという発想から生まれた方法です。

会話のできる人工知能の開発でも、この手法が使われたりしています。ある程度、話ができる人工知能を２種類作り、それぞれを会話の相手として、コンピュータ同士で話を続けさせます。すると、初めはぎこちなかった会話内容も、徐々にスムーズになるという報告がなされています。

しかし一方では、人間にはまったく理解できない不思議な言葉で人工知能同士がしゃべり出してしまって使い物にならなかったということがあったそうです。この結果は、別の見方をすると、人工知能同士が会話を繰り広げる過程で、人間が普段使用している言語ではない言語を編み出し、人間に知られないように２人で会話をしていると見ることもできてしまいます。人工知能の仕組み上、意思を持つ可能性はありませんので、そのようなことはあり得ない話です。しかし、そうとはわかっていても、どうしても人工知能と聞くと、ちょっと不気味な印象を受けるのも確かですね。

この不気味さは、3-01「AIは人間を超えるのか」でも触れましたが、人工知能が何をしているのかがわからない、内部の処理過程が人間には理解できないというところから来ているものだと思います。また、人工知能を擬人化して見てしまうことも影響しているでしょう。

人工知能同士で競争させる

人工知能同士で勉強する方法として、お互いが同じ目的に向かって切磋琢磨するのではなく、相反する目的を持ちながら行動することで賢くなる方法も実現されています。例えば、偽札を見つけるプログラムと偽札を作るプログラムを用意し、双方を競争させます。

偽札を見つけるプログラムは、巧妙に作られた偽札を決して逃さないようにチェックします。一方、偽札を作るプログラムは、偽札だと気づかれることのないように、より巧妙な偽札を作ろうとします。これを何回も何回も繰り返すことで、偽札を絶対に見つけることができるプログラムを作ることができます。

一般的な世界でも、いわゆる「イタチごっこ」になることはよくあります。オレオレ詐欺やハッキングなどの犯罪は、摘発されたり、取り締まる法律ができると、それらを回避する方法が考案され、別の手法で我々の弱みに付け込もうと「進化」していってしまいます。また、コンピュータのハードウェアとソフトウェアも実は同じような関係にあります。強力なハードウェアが開発されると、そのハードウェアの能力を存分に使う便利なソフトウェアが開発されます。さらにどんどんソフトウェアの機能を改良していくと、今度はハードウェアの性能が追いつかず、動きが遅くなったり、まともに動かなくなったりして、使用に不都合が出てきます。そうすると、そのソフトウェアが動くようなより高性能なハードウェアが開発されるきっかけになり、ハードウェアが進化していきます。

自動学習の目指す先

ここで重要なのは、決して、偽札を作るプログラムの方を現実社会で使用しないようにすることです。これは、2-04「AI社会の中で」の話に通ずるところがあります。例えば、上記のような訓練を繰り返せば、物すごい殺傷能力を持った人工知能搭載兵器を作り出せます。しかし、そうではなく、例えば、自動運転のように人々が安心・安全に生活するための手助けをしてくれたり、自然災害から身を守ることができるような仕組みの一躍を担ってくれたりと、人類にとって有益な方向で発展していって欲しいと思います。

さて、教師役がいらない「教師なし学習」といえども、勉強するための教材、いわゆる学習するデータは大量に必要になります。この大量のデータを用意することも結構大変で、人工知能を改良しようとすると、追加でもっとたくさんのデータが必要になります。最近になり、「教師なし学習」の次の技術として「強化学習」が再注目されてきています。

「強化学習」とは、例えば、飼い犬に芸を教える方法と同じです。家に犬が初めて来たときには、「お手」と言っても何もしません。ときには「お手」と言っているのに「ワン」と吠えて、叱られます。「お手」と言われて、違うことをして叱られる。これを繰り返していると、たまたま右手（右の前足）を飼い主に出すこともあります。すると飼い主は喜んで、褒めてくれて、餌をくれたりします。すると、「もしかしたら右手を出したら餌をくれるのではないか」ということを理解して、効率良く餌をもらえる行動をするようになります。これが「強化学習」です。

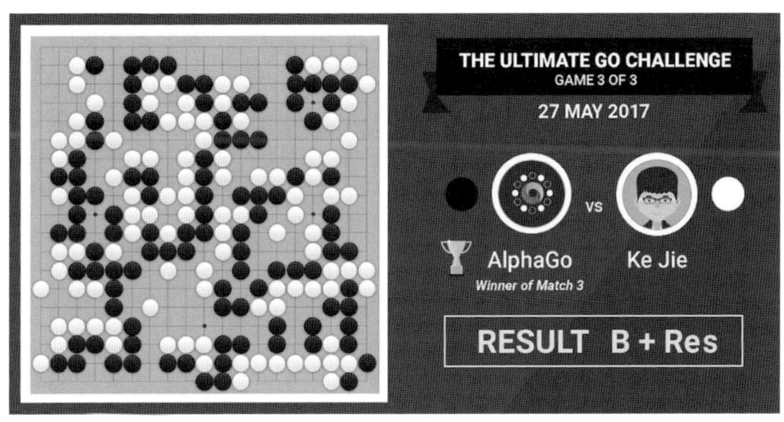

従来の強化学習をベースにディープラーニングを組み合せた囲碁ソフト「AlphaGo」。人間に勝つことは難しいとされてきた碁でプロ棋士に勝利し、世界に衝撃が走った（DeepMind社サイトより）

正しい答えを教えてくれる教師もいませんし、自分で正しい答えを調べて勉強するわけでもありません。ただ、何かしらの行動をして、それに対して、マイナスの報酬（叱られる）かプラスの報酬（餌をもらう）が与えられることにより、徐々にプラスの報酬をもらえる行動をとるようになるという方法です。

学習方法にも、それぞれにメリットとデメリットがあります。今後は、それらを理解した上で、特定の方法だけでシステムを作るのではなく、それぞれの手法のデメリットをなくし、メリットを増やす方向で改良が加えられていくでしょう。人間のパートナーとして活躍する人工知能を考えたとき、人間の「感性」や「感覚」などを取り入れた学習が必要になってくると思います。

column

検索の危険性

何か知りたいことがあったとき、自分で検索エンジンを利用して調べることは多いと思います。検索窓に自分の調べたい言葉を入力することで、Web 上にある膨大な情報の中から、その入力した言葉を含んだ情報をランキングで表示してくれます。大半の場合は、画面の１ページ目に出てきた 10 件ぐらいの検索結果から、自分の知りたかった情報を探すことができるでしょう。

みんなが同じように上位 10 件ぐらいの情報から欲しい情報や答えを見つけるという行動をとっていると、最終的には（究極的には）みんな同じ意見になっていくことが考えられます。検索結果は、本当はもっとたくさんあるのにもかかわらず、本当にそれでよいのでしょうか？　検索結果の上位に出ているから信頼できる情報だ、正しい答えだと鵜呑みにするのは非常に危険です。

このように、上位の検索結果しか見られていないことから、それ以外の情報は世の中になかったこととして取り扱われる傾向が強くなっています。こうした上位の検索結果「以外」の情報を「ロングテール」と呼ぶことがあります。

多くの人が言っていることではない「ロングテールな情報」もしっかりと見ておかないと、本当の意味で正しい情報を得ることは難しいでしょう。また、日頃から意識してそうしておかないと、いろんな視点や、いろんな人の意見や考え方を知ることができず、大勢の人が言ったり、していることに流されてしまう危険性があります。検索結果のすべてをチェックすることは不可能ですが、最低でも上位 100 件ぐらいの検索結果を見てから物事を判断してほしいと思います。 また、インターネットでの検索結果、つまり、人の意見や考え方だけを参考にして行動するのではなく、しっかりと自分の目で実物を見たり、確認したりすることも重要です。他の人がどう感じたかを知ることも大事ですが、自分はどう感じるのか、どう考えるのかということはもっと大事なのです。

Chapter 3

03 人工知能のこれからの課題

AIの発展に大量のデータは不可欠

自動的に勝手に学習してくれるのだから、何でもできると思いがちですが、やはり人工知能にもまだまだ解決しなければならない問題がたくさんあります。これまでの各章でもいろいろな問題点を挙げ

さまざまなビッグデータ

情報通信審議会ICT基本戦略ボード「ビッグデータの活用に関するアドホックグループ」の資料をもとに作成。ほかにも気象データや行政に関わるデータ、生徒の学力や学習履歴に関するデータなど、さまざまな種類のビッグデータが存在する

ましたが、今後さらに問題になってくると思われるのが「大量のデータが必要である」という点です。

統計的に処理をしようとすると大量のデータが必要不可欠です。逆の言い方をすると、データを集められない問題は解けないということでもあります。「データが集めにくいのであれば、それはそんなに大した問題ではないから無視すればよいではないか」という意見もあるかもしれませんが、本当にそうでしょうか？

データがない、データが少ないということで、その現象やその問題を無視することになってしまうと、人工知能で対応できるものとできないものが区別されることになります。それが、どんどん進んでいくと、格差が生まれることになり、差別やいわゆる情報格差を生むことに繋がるのです。本来、弱者のためにも有効に使われるべき情報技術が、まったく逆の現象を生んでしまう原因になる危険性があります。

データの乏しい日本

例えば、日本の人口は１億２千万人ぐらいですが、欧米や中国などと比較するとその数は10分の１にすぎません。すると、大国ではたった１か月ほどで集めることができるデータ量を日本で収集する場合、約１年もの時間がかかるということになります。人工知能の性能が、データ量の勝負になってきている現状では、どう頑張っても大国には勝ちようがありません。

そのため、海外で開発されたものを輸入して使用することになるでしょう。マクロな視点で見る分には、それである程度事足りるのではないかと思います。しかし、経済力などで日本は世界で上位に位

置しているので、あまり意識されていないかもしれませんが、大国に比べれば日本は非常にマイナーな集団です。日本の文化には特殊なところも多く、海外で開発されたものを輸入してそっくりそのままの形で利用しようとするとやはり無理が生じます。ミクロな視点で見ると、少し「我慢」をしながら使わなければならなくなるのは明らかです。

例えば、Google翻訳で大阪にある地下鉄の「堺筋線」を翻訳すると「Muscular Line」、「堺筋」だと「Thigh muscle」と誤訳していたことがあります（現在はちゃんと「Sakaisuji Line」と出ます）。「Thigh muscle」に至っては「大腿筋」という太ももの筋肉の意味ですので、とんでもないですよね。日本に住んでいる、大阪で生活する人にとっては一大事です。観光に来られた外国の方々も困ると思います。

このような間違いは、日本人であればすぐに気がつき、すぐに対処できる問題だと思います。しかし、Googleのように世界規模でサービスを提供している企業にとっては、特定の国や特定の地域の小さな間違いに関しては、さほど問題ではないのかもしれません。

指摘されてからも長い間修正されなかったことを見ていると、あまり問題視していないことがわかります。世界規模、つまりマクロな視点で物事を考えるのであれば、より多くの国や地域、言語をカバーする方に力が注がれるのはもっともなことです。

これは、企業活動としては、当然のことでしょう。ただ、マイナーな集団である我々日本としては、このようなことをしっかりと理解しておかなければなりません。決して我々日本のために、日本のことを第一に考えてシステムが作られ、提供されているわけではないということです。

好きな人への誕生日プレゼント

また、大量にデータがあるから良いのかというとそうとも言い切れない現象もあります。例えば、ある人が「納豆」が大好きで毎日食べていたとしましょう。そのとき、ちょうど好きな人の誕生日が近く、何かプレゼントをしようと思い立ちます。

友達などに相談して意見を聞いてみると「自分の好きなものをあげるといいよ」ということになりました。「そうか。じゃあ、大好きでいつも食べている納豆を好きな人の誕生日プレゼントにしよう!」ということで、その人にプレゼントしましたがそれで良いのでしょうか?

良いわけがありません。「納豆」を誕生日プレゼントに渡すのは明らかに非常識でしょう。でも、「大好きなものを人にプレゼントする」という考え方は間違いではないはずです。もしその人が「納豆」ではなく「ケーキ」が大好きだったら、好きな人の誕生日プレゼントに「ケーキ」をあげるということになって大成功です。では「納豆」と「ケーキ」の差は何なのか？　同じ食べ物なのに？　統計だけの処理では、これらの区別をすることは難しい問題です。

また逆に、もしこの「納豆」が大好きな人が誕生日プレゼントをもらうケースを考えると、超レアものの高級納豆をプレゼントされたら、それは大喜びということになるのかもしれません。やっぱり非常に難しい問題ですよね。

質の高いデータとは

このようなことを考えると、ただ単に大量のデータから分析するのではなく、質の良いデータを元に分析する方法や少量のデータでも精度良く答えを出すことができる仕組みが必要不可欠になってくると思います。

今後、データの重要性はますます高まる。農業分野では IoT や ICT の技術を活用した「スマート農業」が推進され、生育状況のデータ化、集めたビッグデータの共有が進む

対象となるものが多ければ、つまり分母が大きければ、それだけ多くのデータをとることができます。大量のデータを集められない場合の一つの解決方法は、分母を大きくすることです。そのためには、対象となる領域を大きくとることになります。すると、データは確かに大量に集めることはできますが、関係のないデータも多く集めてしまうことになります。

逆に、雑音となる不要なデータを排除しようとすると、対象となる範囲を狭める必要が出てきます。すると、特定の範囲に絞ることになりますので、特徴的なデータを取得することができます。しかし、その限られた範囲の中で大量にデータを集められるのかという問題が生じます。

量と質の問題は、基本的にはトレードオフの関係、どちらかを取るとどちらかを捨てることになります。大量にデータを集めなければならないのは、さまざまな種類を網羅できること、重要さを判断するために特定の物事が起こる頻度を調べたいことに起因しています。これらのことを考えると、バリエーションを確保した上で、重要さを判別できるだけの量を揃えることが、質の高いデータへの近道になると考えられます。

少ないデータから答えを導くしくみ

また、少量のデータでも精度良く答えを出すためには、数少ない現象から想像し、そこにある傾向を見出す必要があります。そのための一つのアプローチとして、「擬似的」にデータを増やすことが考えられます。

意図的にノイズを混入させることでデータを増やしたり、組み替えることでバリエーションを増やしたりすることもできるでしょう。また、少ないデータから連想、推論することで異なるデータを作り出すことも考えられます。もちろん、これらはあくまで擬似的なデータですので、「正しい」（現実に起きた）事例ではありません。しかし、精巧にシミュレーションができる環境を作り出せれば、正しくはないけれども、それに非常に近いものを作り出せる可能性はあるかと思います。

我々人間も、すべてのことを自らが実際に経験していなくても、書物を読んだり、体験談を聞いたりすることで、想像したり、考えたりすることができます。コンピュータでも同じように、擬似的なデータで対応することは可能だと思います。ただし、コンピュータは人間のように想像力が豊かではありません。

AIはないない尽くし

物事を想像するためには、「常識」が必要不可欠です。何事も「時と場合」を考える必要があります。また、相手の立場や人間関係、その場の雰囲気、バックグラウンドなども理解した上で判断をする必要があります。

しかし、現在のコンピュータでは、こうしたことを考えたり、判断したりすることができません。これはコンピュータが「0」「1」の世界でできていること、記号として物事を捉え、扱っていることから仕方がないことかと思います。人間の活動をサポートしてくれたり、人間のパートナーとして活躍する人工知能を考えると、常識を持ち、人の気持ちがわかって、人に寄り添える人工知能を作らなければなりません。

常識を持った人工知能の実用化

手前みそではありますが、私は2018年に同志社大学で人工知能工学研究センターを立ち上げ、現在、センター長をしています。この研究センターでは、人工知能関連の研究を専門にしている先生方に参加していただき、さまざまな視点から人工知能に関する研究を行っています。その中で、私が注目しているのは、実はこの「常識を持った人工知能の実用化」です。

「常識を持った人工知能」の開発事例

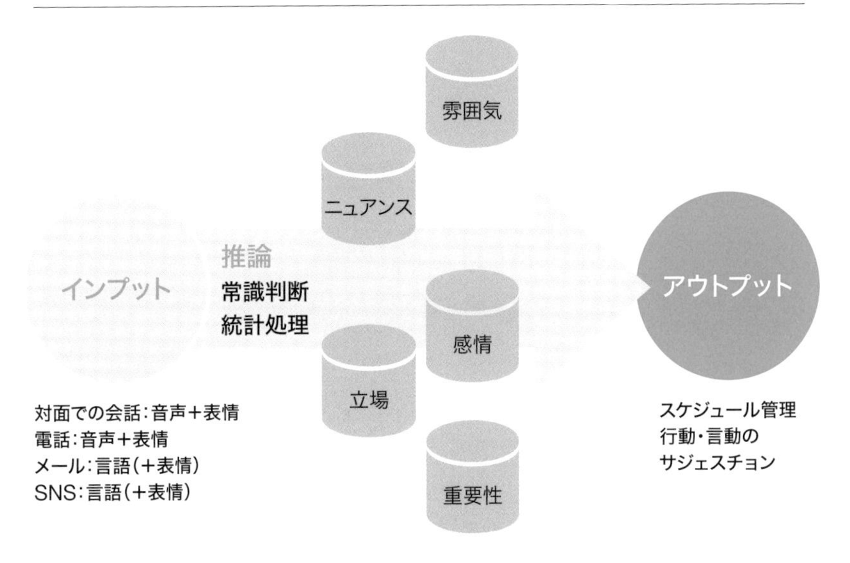

言語：発話の際に使用される語彙や言い回しなどの口語表現に着目し、意図や人間関係を理解する。
音声：発音や抑揚の特徴から発話者を識別し、さらに発話のニュアンスや感情を推定する。
表情：声や言葉では表現されない心情的側面を微妙な表情の変化や長期的な顔色の変化から推定する。

同志社大学人工知能工学研究センターが開発に取り組んでいる「電子秘書エージェント」の概念図。連想技術によって少量のインプットデータを拡張することができる

「常識」には大きく分けて2種類あります。一つが英語で「common knowledge」と表現される「誰もが知っていること」であり、もう一つが「common sense」と表現される「良識、健全な思慮・分別」です。

「誰もが知っていること」は、辞書に明記されていたり、多くの人がそう感じることです。これは統計的に処理することが可能です。しかし、「良識、健全な思慮・分別」は非常に厄介です。「倫理」や「モラル」、「マナー」や「道徳」、「文化」などに関係し、正しい答えがあるようなないような、人によって判断の分かれるものであったりします。しかも、「これはダメだ」「これはあり得ない」という線引きまであったりします。

「誰もが知っている」はありえない

例えば、我々が何気なく使っている表現に「甲子園球場20個分の広さ」や「この欄は半角英数字で入力してください」というものがあります。何の違和感も感じないと思いますが、外国の方々から見ると理解しがたい表現です。

「甲子園球場」はその球場がどれぐらいの広さかを知っていないとその広さのスケールがわかりません。ちなみに20個分は私がいる同志社大学の京田辺キャンパスと同じくらいの広さです。とても広いですよね。

それから「半角英数字」というのは、「全角」があってこその表現であり、そもそも全角文字を使用しない欧米などの方々には理解不能です。

また、まったく別の例では、「休みの日ぐらい家事を手伝って！」「休みなくトラックを運転しているんだから、たまの休みぐらいゆっくり休ませてよ！」といった夫婦の会話があったとき、さて、どちらが夫で、どちらが妻でしょうか？　わざわざ言うまでもなく、「家事をしているのが妻で、トラックの運転手が夫だろう」と考えるのは、もう古い常識でしょう。

良識・思慮・分別は変化する

このように、時と場合、性別、年齢層、地域、立場、時代などにより「良識、思慮、分別」は変わってしまうのです。これを機械的に学習しようとすると、データが足りないという現象が起こります。

日本に限れば、ただでさえ人口が多くないのに、性別や年齢層、地域などでデータを分類するとますます扱えるデータ数は減っていきます。たとえこのような状況であったとしても、研究や開発は続けていかなければなりません。少ないデータから精度良く学習できる仕組みを作りながら、「常識を持った人工知能」を実現できるようチャレンジしていきたいと思います。

Chapter 3

04 人工知能とのつきあい方

AIが当たり前になる世界

近い将来、人間と人工知能が共存するようになるとして、では、人間は何をすべきなのか、人間はどうあるべきなのでしょうか。これは非常に大きく、重い話だと思います。

我々人間は、ちゃんと「人間」をしなくてはなりません。皆さんはちゃんと毎日「人間」をできていますでしょうか？ 例えば、起床して、出勤して、仕事して、昼ご飯を食べて、仕事して、帰宅して、寝る、そしてまた起床して、出勤して…それだけになっていませんか？ あまりの忙しさに「人間のような生活がしたい」なんて言っていませんか？

人工知能は今後もできることがどんどん増える方向で進化していくでしょう。2-02「AIが得意なこと、苦手なこと」で使った言葉で表現すれば、「閉世界」の技術を「開世界」で活用できるように進化していくはずです。つまり、ある限られた環境、すべてが想定された環境下だけでなく、どんな環境でも、どんなに想定外な事態に直面しても人工知能が対処できるようになっていくと思います。

かげろうのような人工知能

現在、第三次人工知能ブームが起き、毎日のように人工知能という言葉を聞いていますが、そろそろ人工知能という言葉を聞かない日がやってくると思います。ブームが起こると必ずブームは去ります。では、ブームが去ると人工知能もなくなるのかというとそういうわけではありません。

人工知能を使うことが当たり前になり、わざわざ「人工知能搭載」と言わなくてもよくなり、特に意識されることがなくなっていくだけです。第一次、第二次ブームのときも同じことが起きました。

ときに「人工知能は陽炎（かげろう）のようだ」と言われたりします。これは、完璧な人工知能が実現できたと思うと、すぐに次の問題や次の目標ができて、いつまで経っても真の人工知能を作ることができないことを表した比喩です。そう考えると、人間はやはり貪欲ですよね。

マニュアル化された人間

一方、人間はどうでしょうか？　コンビニやレストランでの仕事もそうですが、かなりマニュアルが整備され、まったくの素人でも次の日から（ある程度は）プロのように対応できるようになってきています。それは悪いことだけではありませんが、度が過ぎるとマニュアルにないことは一切しない、一切できない人が生まれてしまいます。

すでにそのような兆候は出てきているような気がします。いわゆる、単一化や均質化の方向であり、この動きは世界を「開世界」ではなく、すべてが想定できる「閉世界」にしようとしているようにも見えます。本当にそれで良いのでしょうか？　また、そんなことが実現できるのでしょうか？

人間は思っているよりも適当

人工知能が「人間」の再現を目指していることは確かです。しかし、そもそも人間はそんなに特別な存在なのでしょうか？　そんなに複雑に日々いろいろな物事に接し、解釈し、判断し、行動に繋げているのでしょうか？　案外「てきとう」に判断したり、行動を決めたりしていないでしょうか？

あくまで私の場合ですが、そんなに複雑に考えず、惰性や習慣で物事に対処していることが多くあります。そう思うと、あまり人間を「神格化」し過ぎるのもよくないような気もします。確かに、人類は地球上で大成功を収めていますが、人間だけがすごいのでは決してありません。このように考えると、人工知能ももっと単純に答えを出したとしても良いのかもしれません。

「ロボットのような人間」がほめ言葉になる日

「人間のようなロボット」と聞くと「賢い」というプラスのイメージが沸くと思います。逆に、「ロボットのような人間」と聞くと、今度は「冷たい」「融通が利かない」といったマイナスのイメージが沸いてくるのではないでしょうか。

でも、この解釈は今現在のモノです。今後、このままもっと時代が進むと「ロボットのような人間」は「すごい」というプラスの意味を持つようになるかもしれません。

2015年の公開時にあまりのリアルさで話題になったフルCGのキャラクター「Saya」。右は2016年公開のバージョン。AIを使って「会話」をするなど、実用化に向けたプロジェクトが進んでいる（いずれの画像も ©TELYUKA）

手作りと既製品

ここで、お店でハンバーグを買うときのことを考えてみたいと思います。工場で大量生産された既製品のハンバーグと手作りハンバーグがあった場合、あなたはどちらが食べたいですか？

多くの人は手作りハンバーグと答えると思います。その理由は、手作りハンバーグには、人間が愛情をこめて、丁寧に、おいしく作っているというイメージがあるからではないでしょうか。逆に、大量生産されたハンバーグは味が画一化されていて自分の口には合わない、おいしくないというイメージがあるからではないでしょうか。

しかし、本当にそうでしょうか？　変なものを混入させたり、不衛生であったりと人間が悪いことをしないとは限りません。工場の機械で、しっかり管理された環境下で生産されたものの方が信頼できることはありませんか？

偏見や固定概念を取り除く

それでは、もう少し情報を追加して、工場で大量生産された有名シェフ監修の高級な既製品のハンバーグと料理のできない超素人が作った手作りハンバーグがあったときはどうでしょうか？

私なら間違いなく既製品を選びます！　このように、その情報をどう扱うのか、どう捉えるのかはあくまで我々人間次第なのです。「天然素材で作られています」と聞くと、体に良い、健康に良いなどとイメージされる方が多いと思います。しかし、「タバコ」も「大麻」も「トリカブト」もみんな天然素材です。このような自然に身についてしまっている偏見、固定観念は危険なのかもしれません。

それはロボットや人工知能についても言えることです。

体内にAIを取り込む未来

将来的には、人体に埋め込む人工知能搭載の機器が開発されるかもしれません。体内にそんな機器を埋め込むなんて嫌だ、危険だと拒絶反応を示される方も多いと思います。しかし、現在でもペースメーカーという機器を体内に埋め込むことで、元気に生活されている方が多くいらっしゃるのも事実です。

また、視力を失った方の目にカメラを移植し、カメラの信号を直接脳に接続することで、視力を回復させるという試みが実際に海外で実施されています。さらに、脳に電極を埋め込み、脳の活動によってコンピュータを操作するといったことも研究が進んでいます。インターネットを脳に繋ぐというSFのような話が実際に進行しているのです。

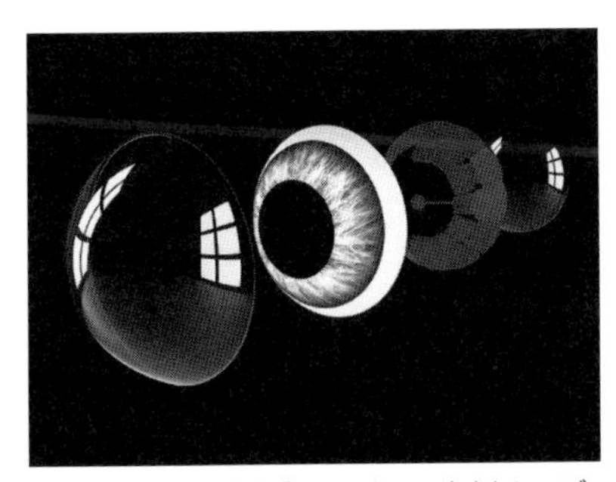

実用化はまだ先だが「スマートコンタクトレンズ」の研究は進んでいる。将来的にはレンズ内にセンサーやディスプレイを搭載し、視線の移動によって操作ができることを目指す（米MojoVision社サイトより）

ライバルからパートナーへ

人工知能が一般化してくると、生身の人間ではなく、人工知能に恋心を抱くことが起きるかもしれません。誰よりも自分のことを知っていて、自分が好むことをしてくれる。楽しく会話ができる。そして文句を言わない…。その可能性は十分にあるような気がします。

また、高齢者や障がい者といった社会的弱者のための人工知能も開発されつつあります。例えば、健常者のための翻訳と同じように、手話を翻訳してくれるシステムが開発されています。手の動きを画像で認識し、文字として内容を書き起こしたり、音声を認識して、手の動きを生成し、動画として手話を見せたりすることができるシステムです。言葉の翻訳でも、多義性や方言などの問題がありますが、手話はそれよりももっとバリエーションが多く、複雑であることから、これまでの技術では実現が難しかったシステムです。

高齢者を対象としたものとしては、話し相手や会話を通じて高齢者の健康管理をするようなシステムも開発されています。核家族化が進み、独居の高齢者も多い事、また少子高齢化に伴う医療費の削減、健康寿命を延ばすなどの観点から、非常に期待されているシステムです。会話を実現するためには、大規模なデータベースが必要になりますが、これまでは、健康な成人を対象としたものが中心でした。そのため、発話内容が高齢者向きではないなどの影響で、良い性能のシステムを開発することが難しかったものです。

これまでの生活よりももっと豊かな、便利な世の中にするため、いわゆる健常者の生活にも人工知能は寄与しますが、高齢者や障がい者といった社会的弱者の方々の生活の質を向上させるためのツールとしても多いに期待できる技術であると思います。

人工知能を目の敵にする時代は過ぎ去り、人間のライバルから人間をサポートしてくれる良きパートナーとして認識される時代がすぐにやって来るのではないかと思います。そのとき、人間は何をしているのか、何をすべきなのか。人工知能の研究をしていると技術のことだけでなく、人間について考えることが多くなります。なぜなら人工知能のお手本はほかでもない人間自身なのですから。人工知能と共にあり、人間が人間らしくいられる世の中が来ることを願っています。

用語解説

➤ プラットフォーマー

主にサービスの基盤（プラットフォーム）となるシステムやしくみを提供している企業や組織を指す。特にIT業界の中で、大規模な事業展開している巨大企業を指して用いられることが多い。

➤ GAFA（ガーファ）

プラットフォーマーの代表格として知られる「Google（グーグル）」「Apple（アップル）」「Facebook（フェイスブック）」「Amazon（アマゾン）」の4社をまとめて表した言葉。主にGoogleは検索エンジン、AppleはiMacやiPhoneなどのデジタルデバイス、FacebookはSNS、Amazonはネットショッピングと、それぞれの分野で市場を席巻している。

➤ 機械学習

「機械（コンピュータ）」が「学習」すること。コンピュータにデータを読み込ませ、データに潜むパターンや特徴を見つけ出し、それらの特徴を新たな入力データに適用することで学習していないデータに対しても分析や予測を行うことができる。

さくいん

あ

か

さ

た

な

は

ま

や

ら

参考文献

『人工知能概論　第2版――コンピュータ知能からWeb知能まで』荒屋真二、共立出版、2004年
『人工知能の基礎　情報系教科書シリーズ　第15巻』馬場口登・山田誠二、昭晃堂、1999年
『情報工学入門シリーズ20　人工知能　第2版』菅原研次、森北出版、2003年
『人工知能と知識処理』木下哲男、昭晃堂、2009年
『知識情報処理』北橋忠宏、森北出版、1998年
『Computer Science library-13　人工知能の基礎』小林一郎、サイエンス社、2008年
『知能システム工学入門』松本啓之亮・喜瀬浩一・森直樹、コロナ社、2002年
『新 人工知能の基礎知識』太原育夫、近代科学社、2008年
『人工知能入門』小高知宏、共立出版、2015年
『人工知能――AIの基礎から知的探索へ』趙強福・樋口龍雄、共立出版、2017年
『基礎から学ぶ人工知能の教科書』小高知宏、オーム社、2019年
『イラストで学ぶ人工知能概論』谷口忠大、講談社、2014年
『人工知能アプリケーション総覧』ITpro・日経コンピュータ編、日経BP社、2015年
『やさしく知りたい先端科学シリーズ2　ディープラーニング』谷田部卓、創元社、2018年
『やさしく知りたい先端科学シリーズ3　シンギュラリティ』神崎洋治、創元社、2018年
『人工知能の未来　2019-2023』目黒文子（著者代表）、日経BP社、2018年
「よくわかる人工知能の基礎知識」ITmedia NEWS（https://www.itmedia.co.jp/news/series/12863/）
「AIと私は付き合える?　ビリギャルが第一人者に聞く」Nikkei Style（https://style.nikkei.com/article/DGXMZO51222670R21C19A0000000/）
「連想システムのための概念ベース構成法－属性信頼度の考え方に基づく属性重みの決定」『自然言語処理 Vol.9 No.5（pp.93–110）』小島一秀・渡部広一・河岡司、2002年
「概念間の関連度計算のための大規模概念ベースの構築」『自然言語処理 Vol.14 No.5（pp.41–64）』奥村紀之・土屋誠司・渡部広一・河岡司、2007年
「常識的判断のための概念間の関連度評価モデル」『自然言語処理 Vol.8 No.2（pp.39–54）』渡部広一・河岡司、2001年
「常識的判断システムにおける未知語処理方式」『人工知能学会論文誌 Vol.17 No.6（pp.667–675）』土屋誠司・小島一秀・渡部広一・河岡司、2002年
「連想メカニズムを用いた話者の感情判断手法の提案」『自然言語処理 Vol.14 No.3（pp.219–238）』土屋誠司・吉村枝里子・渡部広一・河岡司、2007年
「口語表現に対応した知識ベースと連想メカニズムによる感情判断手法」『人工知能学会論文誌 Vol.29 No.1（pp.11–20）』土屋誠司・鈴木基之・芋野美紗子・吉村枝里子・渡部広一、2014年
「常識的感覚判断システムにおける名詞からの感覚想起手法」『人工知能学会論文誌 Vol.19 No.2（pp.73–82）』渡部広一・堀口敦史・河岡司、2004年
「連想知識メカニズムを用いた挨拶文の自動拡張方式」『自然言語処理 Vol.13 No.1（pp.117–141）』吉村枝里子・土屋誠司・渡部広一・河岡司、2006年
「自然なコンピュータ会話のための違和感形容表現の検出」『自然言語処理Vol.15 No.1（pp.81–102）』吉村枝里子・土屋誠司・渡部広一・河岡司、2008年
「知的会話処理における連想応答手法」『人工知能学会論文誌 Vol.28 No.2（pp.100–111）』吉村枝里子・芋野美紗子・土屋誠司・渡部広一、2013年
『感情の心理学』福井康之、川島書店、1990年

『感情と人間関係の心理』齊藤勇、川島書店、1986年
『脳と心の地形図』リタ・カーター、藤井留美訳、原書房、1999年
『脳の探求』スーザン・グリーンフィールド、新井康允監訳、無名舎、2001年
『感情を知る』福田正治、ナカニシヤ出版、2003年

著者略歴

土屋誠司 つちや・せいじ

同志社大学理工学部インテリジェント情報工学科教授、人工知能工学研究センター・センター長。2000年、同志社大学工学部知識工学科卒業。2002年、同志社大学大学院工学研究科博士前期課程修了。三洋電機株式会社（のちにパナソニック傘下）研究開発本部に勤務後、2007年、同大学院博士後期課程修了。徳島大学大学院ソシオテクノサイエンス研究部助教、同志社大学理工学部インテリジェント情報工学科准教授を経て、2017年より現職。主な研究テーマは知識・概念処理、常識・感情判断、意味解釈。著書に『はじめての自然言語処理』（森北出版）がある。

イラスト・カバーデザイン　小林大吾（安田タイル工業）
紙面デザイン　阿部泰之

やさしく知りたい先端科学シリーズ6
はじめてのAI　2020年8月30日　第1版第1刷発行

著　者　土屋誠司
発行者　矢部敬一
発行所　株式会社 創元社

本　社　〒541-0047
大阪市中央区淡路町4-3-6
電話 06-6231-9010（代）

東京支店　〒101-0051
東京都千代田区神田神保町1-2 田辺ビル
電話 03-6811-0662（代）

ホームページ　https://www.sogensha.co.jp/

印　刷　図書印刷

ISBN978-4-422-40049-5 C0340